UM AMOR INCÔMODO

Elena Ferrante

Um amor incômodo

Tradução de Marcello Lino

© 1999 by Edizioni e/o
Publicado mediante acordo com The Ella Sher Literary Agent,
www.ellasher.com

TÍTULO ORIGINAL
L'amore molesto

PREPARAÇÃO
Juliana de Paiva Ferreira

REVISÃO
Paula de Carvalho
Luciana Ferreira

DIAGRAMAÇÃO
Ilustrarte Design e Produção Editorial

CAPA
Angelo Allevato Bottino

IMAGEM DE CAPA
Marian Trotter / Getty Images

CIP-BRASIL. CATALOGAÇÃO NA PUBLICAÇÃO
SINDICATO NACIONAL DOS EDITORES DE LIVROS, RJ

F422a

    Ferrante, Elena
        Um amor incômodo / Elena Ferrante ; tradução Marcello
    Lino. - 1. ed. - Rio de Janeiro : Intrínseca, 2017.
        176 p. ; 21 cm.

        Tradução de: L'amore molesto
        ISBN: 978-85-510-0137-0

        1. Romance italiano. I. Lino, Marcello. II. Título.

17-39003

                                          cdd: 853
                                          cdu: 821.131.3-3

[2017]

Todos os direitos desta edição reservados à
Editora Intrínseca Ltda.
Av. das Américas, 500, bloco 12, sala 303
22640-904 – Barra da Tijuca
Rio de Janeiro — RJ
Tel./Fax: (21) 3206-7400
www.intrinseca.com.br

Para minha mãe

1

Minha mãe se afogou na noite de 23 de maio, dia do meu aniversário, no mar de um lugar chamado Spaccavento, a poucos quilômetros de Minturno. Precisamente naquela área, no final dos anos cinquenta, quando meu pai ainda morava conosco, alugávamos no verão um quarto em uma casa de temporada e passávamos o mês de julho dormindo os cinco em poucos metros quadrados escaldantes. Toda manhã, nós, meninas, comíamos ovos crus, partíamos rumo à praia por trilhas de terra e areia ladeadas por juncos altos e íamos tomar banho de mar. Na noite em que minha mãe morreu, a dona da casa, que se chamava Rosa e já tinha mais de setenta anos, ouviu alguém bater à porta, mas não abriu temendo ladrões e assassinos.

Minha mãe pegara o trem para Roma dois dias antes, em 21 de maio, mas nunca havia chegado. Nos últimos tempos, vinha ficar comigo durante alguns dias pelo menos uma vez por mês. Eu não gostava de ouvi-la pela casa. Ela acordava ao raiar do dia e, seguindo seus hábitos, lustrava de cima a baixo a cozinha e a sala de estar. Eu tentava voltar a dormir, mas não conseguia: enrijecida entre os lençóis, eu tinha a impressão de que, enquanto ela se ocupava, meu corpo era transformado no de uma menina enrugada. Quando chegava com o café, eu me encolhia em um canto para evitar que ela tocasse em mim ao se sentar na beirada da cama. A sociabilidade dela me incomodava: saía para fazer compras e se enturmava com os comerciantes com os quais, em dez anos, eu não havia trocado mais do que duas palavras; ia passear pela cidade com alguns conhecidos ocasionais; fazia amizade com meus amigos, aos quais contava histórias de sua vida, sempre as mesmas. Com ela, eu só sabia ser contida e insincera.

Voltava para Nápoles ao meu primeiro sinal de intolerância. Recolhia suas coisas, dava uma última arrumada na casa e prometia que logo retornaria. Eu andava pelos cômodos rearrumando ao meu gosto tudo o que ela havia disposto ao gosto dela. Retornava o saleiro ao compartimento no qual eu o guardava havia anos, devolvia o detergente ao lugar que sempre me pareceu mais adequado, bagunçava sua ordem dentro das minhas gavetas, devolvia ao caos o aposento onde eu trabalhava. Também o cheiro da sua presença — um perfume que deixava a casa com uma sensação de inquietude — passava depois de um tempo, como o de uma rápida chuva de verão.

Muitas vezes, ela perdia o trem. Geralmente chegava no trem posterior, ou até mesmo no dia seguinte, mas eu não conseguia me acostumar a isso e ficava preocupada do mesmo jeito. Ligava para ela, aflita. Quando finalmente ouvia sua voz, a repreendia com certa dureza: como assim não havia partido, por que não me avisara? Ela se justificava sem empenho, questionando em tom divertido o que eu achava que poderia acontecer na sua idade. "De tudo", eu respondia. Sempre imaginei uma trama de emboscadas tecida de propósito para fazê-la sumir do mundo. Quando criança, enquanto ela estava fora, eu a esperava na cozinha, atrás da janela. Ficava ansiosa esperando ela reaparecer no fim da rua, como uma figura em uma bola de cristal. Eu respirava junto ao vidro, embaçando-o, para não ver a rua sem ela. Se demorava, a ansiedade se tornava tão irrefreável que transbordava em tremores no meu corpo. Então, eu fugia para um quartinho de despejo sem janelas e sem luz elétrica, bem ao lado do quarto dela e do meu pai, fechava a porta e ficava no escuro, chorando em silêncio. O cômodo funcionava como um antídoto eficaz. Inspirava-me um terror que mantinha sob controle a ansiedade em relação ao destino da minha mãe. No breu sufocante por causa do cheiro do pesticida eu era agredida por formas coloridas que lambiam por poucos segundos as minhas pupilas, deixando-me sem fôlego. "Quando voltar, mato você", eu pensava, como se tivesse sido ela a me deixar fechada ali dentro. Mas, assim que eu ouvia sua voz no corredor, esgueirava-me para fora rapidamente e ficava a rodeando com indiferença. Voltou-me à mente aquele quartinho de despejo quando descobri que ela partira no horário correto, mas ainda não havia chegado.

À noite, recebi o primeiro telefonema. Minha mãe disse com um tom tranquilo que não podia me contar nada: havia um homem com ela que a impedia de fazer isso. Depois, começou a rir e desligou. Na hora, prevaleceu a perplexidade. Achei que estava brincando e me resignei a esperar por um segundo telefonema. Deixei as horas passarem em conjecturas, sentada inutilmente ao lado do telefone. Só após a meia-noite procurei um amigo policial, que foi muito gentil: disse para eu não me preocupar, ele cuidaria de tudo. Mas a noite passou sem notícias da minha mãe. De concreto, havia apenas sua partida: a sra. De Riso, uma vizinha viúva da mesma idade dela com a qual minha mãe alternava havia quinze anos períodos de boa vizinhança e de inimizade, disse-me ao telefone que a acompanhara à estação. Enquanto minha mãe estava na fila da bilheteria, a viúva comprara para ela uma garrafa de água mineral e uma revista. O trem estava lotado, mas, mesmo assim, minha mãe encontrara um lugar à janela em um vagão abarrotado de militares de licença. Despediram-se, recomendando-se que se cuidassem. Como ela estava vestida? Como de costume, com as roupas que usava havia anos: saia e blazer azul-escuros, uma bolsinha de couro preto, velhos sapatos de salto médio, uma maleta surrada.

Às sete da manhã, minha mãe telefonou outra vez. Embora eu a tivesse bombardeado de perguntas ("Onde você está? De onde está ligando? Quem está com você?"), ela se limitou a desfiar em voz muito alta uma série de expressões obscenas em dialeto, enunciando-as com prazer. Depois desligou. Aquelas obscenidades me causaram uma regressão desorientadora. Liguei novamente para o meu amigo, surpreendendo-o com uma mistura confusa de italiano e expressões dialetais. Ele quis saber se minha mãe andava particularmente deprimida nos últimos tempos. Eu não sabia. Admiti que ela não era mais como antigamente: tranquila, pacatamente divertida. Ria sem motivo, falava demais; porém, os idosos muitas vezes fazem isso. Meu amigo concordou: acontecia com frequência que os velhos, ao primeiro sinal de calor, fizessem coisas estranhas. Não havia motivo para preocupação. Mas eu continuei a me preocupar e percorri a cidade de cima a baixo, procurando sobretudo nos lugares em que eu sabia que ela gostava de passear.

O terceiro telefonema foi às dez da noite. Minha mãe falou confusamente de um homem que a seguia para levá-la embora enrolada em um tapete. Pediu que eu fosse correndo ajudá-

-la. Supliquei que me dissesse onde estava. Ela mudou de tom, respondeu que era melhor não. "Tranque-se, não abra a porta para ninguém", alertou. Aquele homem queria fazer mal a mim também. Depois, acrescentou: "Vá dormir. Agora vou tomar banho." Não se ouviu mais nada.

No dia seguinte, dois rapazes viram o corpo de minha mãe boiando a poucos metros da praia. Vestia apenas o sutiã. A mala não foi encontrada. O tailleur azul-escuro não foi encontrado. Não foram encontrados nem mesmo a calcinha, as meias, os sapatos, a bolsinha com os documentos. Mas, no dedo, estavam o anel de noivado e a aliança. Nas orelhas, os brincos que meu pai lhe dera de presente meio século antes.

Vi o corpo e, diante daquele objeto lívido, senti que talvez devesse me agarrar a ele para não acabar sei lá onde. Não fora violado. Apresentava apenas algumas equimoses causadas pelas ondas, bastante suaves, aliás, que o empurraram durante toda a noite contra algumas rochas na superfície da água. Em volta dos olhos, pareceu-me haver traços de maquiagem pesada. Observei longamente, com incômodo, as pernas morenas, extraordinariamente jovens para uma mulher de sessenta e três anos. Com o mesmo incômodo, percebi que o sutiã nada tinha em comum com aqueles bastante gastos que ela costumava usar. As taças eram de renda fina e mostravam os mamilos. Eram unidas por três Vs bordados, a assinatura da loja das irmãs Vossi, uma marca napolitana cara de lingerie para senhoras. Quando o devolveram para mim, com os brincos e os anéis, cheirei-o por muito tempo. Tinha o forte aroma de tecido novo.

2

Durante o funeral, fiquei surpresa ao me flagrar pensando que finalmente não era mais obrigada a me preocupar com ela. Logo em seguida, percebi um fluxo morno e me senti molhada entre as pernas.

    Eu seguia à frente de um longo séquito de parentes, amigos, conhecidos. Minhas duas irmãs estavam abraçadas a mim, uma de cada lado. Eu segurava uma delas pelo braço por temer que ela desmaiasse. A outra se agarrava a mim como se os olhos inchados demais a impedissem de enxergar. Aquela dissolução involuntária do meu corpo me assustou como a ameaça de uma punição. Eu não tinha conseguido verter uma lágrima: não afloraram, ou talvez eu que não quis que aflorassem. Além do mais, fui a única a pronunciar algumas palavras para justificar a atitude de meu pai, que não mandou flores e não compareceu ao funeral. Minhas irmãs não haviam escondido sua desaprovação, e agora pareciam empenhadas em demonstrar publicamente que tinham lágrimas suficientes para compensar aquelas que nem eu nem meu pai estávamos derramando. Eu me sentia sob acusação. Durante o trecho no qual o cortejo foi acompanhado por um homem de cor que carregava no ombro algumas pinturas em telas emolduradas, das quais a primeira (visível sobre as costas) representava grosseiramente uma cigana seminua, torci para que nem elas nem os parentes notassem nada. O autor daqueles quadros era meu pai. Talvez estivesse trabalhando em seus borrões também naquele momento. Ele fizera por décadas, e continuava a fazer, inúmeras cópias daquela cigana odiosa, vendidas pelas ruas e nas feiras provinciais por poucas liras, suprindo como sempre a demanda por quadros feios para salas de estar da pequeno-burguesia. A ironia das linhas que unem momentos a encontros, separações e velhos rancores mandara ao funeral da minha mãe não meu pai, mas aquela sua pintura elementar que nós, filhas, detestávamos mais do que o próprio autor.

Eu me sentia farta de tudo. Desde que chegara na cidade, não havia parado um instante. Por dias a fio, acompanhei meu tio Filippo, irmão da minha mãe, pelo caos das repartições, entre pequenos despachantes capazes de acelerar os trâmites burocráticos dos processos ou verificando por conta própria, após longas filas nos guichês, a disponibilidade dos funcionários para superar obstáculos intransponíveis em troca de conspícuas regalias. Por vezes, meu tio tinha conseguido obter algum efeito ao ostentar a manga vazia do paletó. Perdera o braço direito em idade avançada, aos cinquenta e seis anos, trabalhando no torno de uma oficina da periferia, e desde então usava a invalidez ora para pedir favores, ora para desejar aquela mesma desgraça a quem os negava. Mas obtivemos os melhores resultados desembolsando muito dinheiro indevido. Daquela maneira, conseguimos rapidamente os documentos necessários, os nada-consta de não sei quantas autoridades verdadeiras ou inventadas, um funeral de primeira classe e, o mais difícil: uma vaga no cemitério.

Enquanto isso, o corpo morto de Amalia, minha mãe, destroçado pela autópsia, foi se tornando cada vez mais pesado de tanto ser arrastado junto com nome e sobrenome, data de nascimento e data de óbito, diante de funcionários algumas vezes mal-educados, outras vezes bajuladores. Eu sentia necessidade de me livrar dele com urgência, porém, ainda não suficientemente extenuada, quis carregar o caixão no ombro. Permitiram-me fazê-lo após muita resistência: mulheres não carregam caixões. Foi uma péssima ideia. Como aqueles que transportavam o caixão comigo (um primo e meus dois cunhados) eram mais altos, passei todo o percurso com medo de que a madeira e o corpo ali contido penetrassem entre minha clavícula e meu pescoço. Depois que o ataúde foi depositado no carro funerário e este partiu, bastaram poucos passos e um alívio culpado para que a tensão precipitasse aquele fluxo secreto do meu ventre.

O líquido quente que saía de mim contra minha vontade me deu a impressão de um sinal acordado entre estranhos dentro do meu corpo. O cortejo fúnebre avançava rumo à Piazza Carlo III. A fachada amarelada do Reclusorio parecia conter a duras penas a pressão do bairro Rione Incis, que pesava sobre ela. As ruas da memória topográfica me pareciam instáveis como uma bebida efervescente que, se agitada, transborda em espuma. Eu sentia a cidade se dissolver no calor, sob uma luz cinza e poeirenta, e repercorria mentalmente a história da minha infância e adolescência que me impelia a divagar pela Via Veterinaria até o Horto Botânico, ou pelas pedras sempre úmidas, cobertas de verduras podres, do mercado de Sant'Antonio Abate. Tinha a impressão de que minha mãe também estava levando embora os lugares, os nomes das ruas. Eu observava o reflexo da minha imagem e de minhas irmãs no vidro, entre as coroas de flores, como uma foto tirada com pouca luz, inútil para a memória no futuro. Ancorava-me com as solas dos sapatos no calçamento da praça, isolava o cheiro das flores ornadas em cima do carro funerário, que já pareciam apodrecidas. A certa altura, temi que o sangue começasse a escorrer pelas minhas pernas e tentei me desvencilhar das minhas irmãs. Foi impossível. Tive de esperar que o cortejo fizesse a curva na praça, subisse a Via Don Bosco e finalmente se diluísse em um congestionamento de carros e pessoas. Tios, tios-avós, cunhados e primos começaram a nos abraçar de forma ordenada: pessoas vagamente conhecidas, transformadas pelos anos, visitadas apenas durante a infância, talvez nunca vistas. As poucas das quais eu me lembrava nitidamente não apareceram. Ou talvez estivessem ali, mas eu não as tivesse reconhecido porque, desde os tempos da minha infância, guardara apenas detalhes: um olho torto, uma perna coxa, a cor morena da pele. Em compensação, pessoas cujos nomes eu nem sequer sabia me puxaram para o canto citando agravos que sofreram do meu pai. Jovens desconhecidos, mas muito afetuosos, hábeis na conversa circunstancial, me perguntaram como eu estava, como andavam as coisas, no que eu trabalhava. Respondi: bem, as coisas vão bem, desenho histórias em quadrinhos, e eles, como estavam? Muitas mulheres enrugadas, completamente de preto, exceto pela palidez dos rostos, elogiaram a extraordinária beleza e bondade de Amalia. Alguns me abraçaram com tamanha força, e vertendo lágrimas tão copiosas, que oscilei entre uma impressão de sufocamento e uma insuportável sensação de umidade que se estendia do suor e das lágrimas deles até minha virilha, na junção das coxas. Fiquei contente pela primeira vez por ter escolhido aquele vestido escuro. Eu estava prestes a me afastar quando tio Filippo aprontou uma das suas. Na sua cabeça de setenta anos que muitas vezes confundia passado e presente, um detalhe devia ter abatido barreiras já pouco sólidas. Para o assombro de todos, ele começou a xingar em dialeto, falando muito alto e agitando freneticamente o único braço.

— Vocês viram Caserta? — perguntou, sem fôlego, a mim e a minhas irmãs. E repetiu várias vezes aquele sobrenome conhecido, um som ameaçador da infância que me causou mal-estar. Depois acrescentou, púrpura: — Sem vergonha. No funeral de Amalia. Se seu pai estivesse aqui, o mataria.

Eu não queria ouvir falar de Caserta, puro aglomerado de medo infantil. Fingi que não era comigo e tentei acalmá-lo, mas ele não me ouviu. Pelo contrário, me apertou com o único braço, agitado, como se quisesse me consolar pela afronta daquele nome. Então me desvencilhei grosseiramente, prometi a minhas irmãs que chegaria ao cemitério em tempo para a cerimônia de sepultamento e voltei para a praça. A passos rápidos, procurei um bar. Perguntei pelo banheiro e me enfiei nos fundos do estabelecimento, em um cubículo fedorento com um vaso imundo e uma pia amarelada.

O fluxo de sangue era copioso. Tive uma sensação de náusea e uma leve tontura. Vi na penumbra minha mãe, com as pernas abertas, soltando um alfinete de fralda e arrancando do sexo, como se estivessem coladas, tiras de linho ensanguentadas, depois virando-se sem surpresa e me dizendo calmamente: "Saia, o que você está fazendo aqui?" Caí em prantos, pela primeira vez depois de muitos anos. Enquanto chorava, batia com uma das mãos na pia, quase a intervalos fixos, como se para impor um ritmo às lágrimas. Quando percebi, parei, limpei-me da melhor maneira possível com lenços de papel e saí em busca de uma farmácia.

Foi então que o vi pela primeira vez.

— Posso ajudá-la? — perguntou quando esbarrei nele.

O momento durou poucos segundos, só o suficiente para sentir no rosto o tecido da camisa, notar a tampa azul-escura da caneta que despontava do bolso do paletó e, nesse meio-tempo, registrar o tom incerto da voz, um cheiro agradável, a pele murcha do pescoço, os densos cabelos brancos em perfeita ordem.

— Sabe onde tem uma farmácia? — perguntei sem olhar para ele, empenhada em me desviar rapidamente para interromper o contato físico.

— Em Corso Garibaldi — respondeu enquanto eu restabelecia uma distância mínima entre mim e a sombra compacta daquele corpo ossudo.

De repente, parecia estar colado à fachada do Reclusorio, com a camisa branca e o paletó escuro. Eu o vi pálido, bem barbeado, com um olhar sem espanto que não me agradou. Agradeci quase sussurrando e segui na direção que ele havia indicado.

Sua voz me seguiu, transformada de um tom cortês para um sibilo persistente e cada vez mais vulgar. Fui atingida por um jorro de obscenidades em dialeto, um suave córrego de sons que envolveu a mim, a minhas irmãs e a minha mãe em uma mistura de sêmen, saliva, fezes, urina, em todos os orifícios possíveis.

Virei-me subitamente, tão estupefata quanto os insultos eram imotivados. Mas o homem não estava mais lá. Talvez tivesse atravessado a rua e desaparecido em meio aos carros, talvez tivesse virado a esquina rumo a Sant'Antonio Abate. Lentamente, deixei que meus batimentos se normalizassem e que um desagradável impulso homicida evaporasse. Entrei na farmácia, comprei um pacote de absorventes e voltei ao bar.

3

Cheguei ao cemitério de táxi, em cima da hora para ver o caixão ser arriado em uma cavidade de pedra cinza que, em seguida, foi preenchida com terra. Minhas irmãs foram embora logo após o sepultamento, de carro, com os maridos e filhos. Não viam a hora de voltar para casa e esquecer. Abraçamo-nos e prometemos nos reencontrar em breve, mas sabíamos que aquilo não aconteceria. No máximo, trocaríamos alguns telefonemas para medir, de tempos em tempos, a crescente estranheza recíproca. Havia anos que nós três morávamos em cidades diferentes, cada uma com a própria vida e um passado em comum do qual não gostávamos. Nas raras vezes em que nos víamos, preferíamos silenciar tudo o que tínhamos a dizer umas às outras.

Sozinha, pensei que tio Filippo me convidaria para ir à casa dele, onde eu me hospedara nos dias anteriores. Mas ele não fez isso. De manhã, eu lhe comunicara que iria à casa da minha mãe retirar os poucos objetos de valor sentimental e rescindir o contrato de locação, de luz, de gás, de telefone; ele provavelmente pensou que era inútil me convidar. Afastou-se sem me cumprimentar, curvado, com o passo arrastado, consumido pela arteriosclerose e por aquele súbito congestionamento de velhos rancores que o faziam vomitar insultos fantasiosos.

Assim, fiquei esquecida na rua. A multidão de parentes havia se retirado rumo às periferias de onde veio. Minha mãe fora soterrada por coveiros mal-educados no fundo de uma vala que fedia a velas e flores apodrecidas. Eu estava com dor nas costas e cólicas. Com relutância, tomei uma decisão: arrastei-me ao longo do muro escaldante do Horto Botânico até a Piazza Cavour, em meio a um ar mais pesado devido ao escapamento dos carros e ao zumbido dos sons dialetais que eu decifrava de má vontade.

Era a língua da minha mãe, que eu tentara inutilmente esquecer junto a tantas outras coisas dela. Quando nos encontrávamos na minha casa, ou quando eu vinha a Nápoles para visitas rapidíssimas de meio dia, ela se esforçava para usar um italiano capenga, e eu, incomodada, me rendia ao dialeto, só para ajudá-la. Não um dialeto alegre ou nostálgico, mas um sem naturalidade, usado inabilmente, pronunciado com esforço como uma língua estrangeira pouco conhecida. Nos sons que eu articulava de forma desconfortável havia o eco das brigas violentas entre Amalia e meu pai, entre meu pai e os parentes dela, entre ela e os parentes do meu pai. Impaciente, eu logo voltava ao meu italiano, e ela se acomodava no seu dialeto. Agora que Amalia estava morta e eu podia apagá-lo para sempre, junto à memória trazida por ele, senti-lo em meus ouvidos me deixava ansiosa. Usei-o para comprar uma *pizza fritta* recheada de ricota. Após dias praticamente de jejum, comi com gosto enquanto perambulava pelos jardins desmazelados, com seus oleandros mirrados, e observava as várias rodas de idosos. O vaivém opressor de pessoas e carros próximo dos jardins fez com que eu decidisse ir à casa da minha mãe.

O apartamento de Amalia ficava no terceiro andar de um velho edifício cercado por andaimes. O prédio pertencia àquelas construções do centro histórico semidesertas de noite e habitadas durante o dia por funcionários que renovam habilitações; emitem certidões de nascimento ou de residência; procuram em computadores reservas ou passagens em trens, aviões e navios; estipulam apólices de seguro para furtos, incêndios, doenças, morte; preenchem complicadas declarações de renda. Os inquilinos comuns eram poucos, mas, quando meu pai, mais de vinte anos antes — no momento em que Amalia disse que queria se separar dele, e nós, as filhas, apoiamos sua escolha com firmeza —, expulsou nós quatro de casa, foi ali que afortunadamente encontramos um apartamento para alugar. Jamais gostei do edifício. Deixava-me inquieta como se estivesse em um cárcere, um tribunal ou um hospital. Minha mãe, por outro lado, estava satisfeita: achava-o imponente. Na verdade, era feio e imundo desde o grande portão, que era regularmente aberto à força todas as vezes que o síndico mandava consertar a fechadura. Os painéis estavam empoeirados, enegrecidos pelos gases dos escapamentos, com grandes maçanetas de latão que não eram polidas desde o início do século. Na longa e cavernosa passagem que acabava em um pátio interno, sempre havia alguém parado durante o dia: estudantes, transeuntes à espera do ônibus que parava três metros mais à frente, vendedores de isqueiros, de lenços de papel, de espigas de milho tostadas ou de castanhas assadas, turistas com calor ou se protegendo da chuva, homens sinistros de todas as raças em perene contemplação das vitrines que se estendiam ao longo das duas paredes. Esses últimos em geral passavam o tempo à espera de sabe-se lá o quê, olhando os retratos artísticos de um fotógrafo idoso que tinha um estúdio no prédio: noivos em trajes de cerimônia, moças sorridentes e radiantes, jovens de farda com ar atrevido. Anos antes, também ficou exposta ali por uns dois dias uma foto três por quatro de Amalia. Intimei o fotógrafo a tirá-la antes que meu pai, de passagem por lá, perdesse o controle e destruísse a vitrine.

Atravessei o pátio interno com os olhos baixos e subi os poucos degraus que davam na porta de vidro da escada B. O porteiro não estava, o que me deixou contente. Entrei depressa no elevador. Era o único lugar do grande edifício que me agradava. Geralmente eu não gostava daqueles sarcófagos de metal que subiam velozes ou desciam às pressas assim que você apertava o botão, causando frio na barriga. Mas aquele tinha paredes de madeira, portas de vidro com arabescos cinza nas bordas, puxadores de latão trabalhados, dois bancos elegantes de frente um para o outro, um espelho, iluminação fraca, e arrastava-se com um concerto de rangidos, em uma tranquila lentidão. Uma caixa receptora de moedas dos anos cinquenta, com uma circunferência ampla e um bico arqueado voltado para o teto, pronto para engolir trocados, emitia um soluço metálico a cada andar. Havia tempo que não eram necessárias moedas, bastava apertar um botão para que a cabine se deslocasse, mas aquela caixa ficara inutilmente pregada à parede da direita. No entanto, mesmo perturbando a tranquila velhice daquele espaço, a caixa de moedas, graças à sua vacuidade abstinente, não me desagradava.

Sentei-me em um dos bancos e fiz o que, quando jovem, fazia todas as vezes que precisava me acalmar: em vez de apertar o botão de número três, deixei que o elevador me levasse até o quinto andar. Aquele lugar ficara vazio e escuro depois que, anos antes, o advogado que tinha seu escritório ali foi-se embora levando consigo até a lâmpada que iluminava o corredor. Quando o elevador parou, deixei que o ar deslizasse para dentro do meu ventre e, em seguida, voltasse lentamente até a garganta. Como sempre, depois de alguns segundos, a luz do elevador também se apagou. Pensei em esticar a mão em direção à maçaneta de uma das portas: bastava puxá-la e a luz voltaria. Mas não me mexi e continuei a inspirar o ar para o fundo do meu corpo. Ouvia apenas os cupins que devoravam a madeira do elevador.

Somente poucos meses antes (cinco, seis?), devido a um impulso súbito, eu havia revelado à minha mãe, durante uma das minhas visitas rápidas, que na adolescência eu me refugiava naquele lugar secreto, e então a arrastara até lá em cima. Talvez eu quisesse tentar estabelecer entre nós uma intimidade que nunca existira, talvez eu quisesse confusamente fazer com que ela soubesse que eu sempre fora infeliz. Mas ela só parecera ter achado muito divertido o fato de eu ter ficado suspensa no vazio, em um elevador decrépito.

— Você teve algum homem em todos esses anos? — eu lhe perguntara à queima-roupa.

O que eu queria dizer era: ela alguma vez tivera um amante, depois de deixar meu pai? Era uma pergunta muito anômala diante das possíveis perguntas entre nós desde que eu era menina. Mas seu corpo, sentado a poucos centímetros do meu no banco de madeira, não manifestara nenhum incômodo. Nem mesmo sua voz, segura e clara: não. Não havia sequer um sinal que pudesse me induzir a pensar que ela estivesse mentindo. Por isso mesmo não tive dúvida: estava mentindo.

— Você tem um amante — eu dissera, gelidamente.

A reação dela fora muito exagerada em relação ao seu comportamento sempre contido. Levantou o vestido até a cintura, revelando uma calcinha cor-de-rosa alta e frouxa. Rindo, dissera algo confuso sobre a carne mole, a barriga flácida, repetindo "Toque aqui" e tentando agarrar minha mão e pousá-la em sua barriga branca e murcha.

Eu me retraíra e pusera a mão no coração para acalmar os batimentos muito acelerados. Ela soltara a ponta do vestido, mas ficara com as pernas descobertas, amarelas na luz do elevador. Eu estava arrependida de a ter levado ao meu refúgio. Desejava, sobretudo, que ela se cobrisse.

— Saia — eu falara.

E ela o fizera: nunca dizia não para mim. Bastou um único passo além das portas abertas para desaparecer na escuridão. Ao me ver sozinha na cabine, senti certo prazer pacato. Sem pensar, fechei as portas. Poucos segundos, e a luz do elevador se apagou.

— Delia — tinha murmurado minha mãe, mas sem alarde.

Nunca se alarmava na minha presença e, mesmo naquela ocasião, devido ao velho hábito, me pareceu que, em vez de buscar conforto, ela queria me confortar.

Eu ficara um tempo saboreando meu nome como um eco da memória, uma abstração que soa sem som na cabeça. Parecera-me a voz, imaterial havia tempos, de quando ela me procurava pela casa e não me encontrava.

E anos depois lá estava eu, tentando apagar depressa a reevocação daquele eco. Mas continuei com a impressão de não estar sozinha. Eu estava sendo observada, não por aquela Amalia de alguns meses antes que, àquela altura, estava morta, mas por mim mesma, parada no corredor e me vendo ali sentada. Eu me detestava quando isso acontecia. Senti um pouco de vergonha ao me flagrar muda na cabine obsoleta, suspensa entre o vazio e a escuridão, escondida como em um ninho sobre o galho de uma árvore, a longa cauda de cabos de aço que pendia de forma cansada do corpo do elevador. Estendi a mão em direção à porta e tateei um pouco antes de encontrar o puxador. A escuridão se retraiu do outro lado dos vidros arabescados.

Era algo que eu sempre soubera. Havia uma linha que eu não conseguia ultrapassar quando pensava em Amalia. Talvez eu estivesse ali para fazer isso. Assustada, apertei o botão com o número três, e o elevador deu um tranco barulhento. Rangendo, começou a descer em direção ao apartamento da minha mãe.

4

Pedi as chaves para a vizinha, a viúva De Riso. Ela as entregou, mas se recusou terminantemente a entrar comigo. Era gorda e desconfiada, com um grande sinal na bochecha direita, pontuado por dois longos pelos grisalhos, e cabelos repartidos ao meio presos na nuca em uma espiral de tranças. Estava de preto, talvez por hábito, talvez porque ainda estivesse usando a roupa do funeral. Ficou na soleira de sua casa, observando-me escolher as chaves certas. Mas a porta não estava bem fechada. Ao contrário do que geralmente acontecia, Amalia havia usado apenas uma das duas fechaduras, a que dava duas voltas. A outra, que previa cinco voltas da chave, estava aberta.

— O que aconteceu? — perguntei à vizinha, escancarando a porta.

A sra. De Riso hesitou.

— Ela andava um pouco avoada — disse. Mas deve ter considerado a expressão desrespeitosa, pois acrescentou: — Estava contente.

Então, hesitou um pouco mais: dava para ver que teria fofocado de bom grado, mas temia o fantasma de minha mãe, que pairava no vão da escada, no apartamento, certamente também na sua casa. Convidei-a novamente para entrar, esperando que me fizesse companhia com sua conversa. Ela se recusou resolutamente, com um arrepio, e seus olhos ficaram marejados.

— Por que ela estava contente? — perguntei.

Hesitou mais uma vez, depois se decidiu.

— Há algum tempo, um senhor alto, muito distinto, passou a visitá-la.

Olhei-a com hostilidade. Decidi que não queria que a vizinha continuasse.

— Era o irmão dela — falei.

A sra. De Riso semicerrou os olhos, ofendida: ela e minha mãe eram amigas havia bastante tempo, e ela conhecia muito bem o tio Filippo, que não era alto nem distinto.

— O irmão dela — repetiu com falsa condescendência.

— Não? — perguntei, irritada por aquele tom.

Ela se despediu com frieza e fechou a porta.

Quando entramos na casa de uma pessoa morta recentemente, é difícil acreditar que esteja deserta. As casas não guardam fantasmas, mas retêm os efeitos das últimas ações em vida. Primeiro ouvi o barulho de água corrente na cozinha e, por uma fração de segundo, com uma torção abrupta do verdadeiro e do falso, pensei que minha mãe não estivesse morta, que sua morte tivesse sido apenas o objeto de uma longa e angustiante fantasia que teve início sabe-se lá quando. Tive certeza de que ela estava em casa, viva, diante da pia, lavando os pratos e murmurando para si mesma. Mas as venezianas estavam fechadas, e o apartamento, escuro. Acendi a luz e vi a antiga torneira de latão que jorrava água copiosamente na pia vazia.

Fechei-a. Minha mãe fazia parte de uma cultura extinta que não concebia desperdícios. Ela não jogava fora o pão seco, usava até a casca do queijo, cozinhando-a na sopa para dar gosto, e não comprava carne quase nunca, mas pedia ao açougueiro ossos de descarte para fazer caldo e os chupava como se contivessem substâncias milagrosas. Jamais teria esquecido a torneira aberta. Usava a água com uma parcimônia que se transformara em um reflexo do gesto, do ouvido, da voz. Se, quando menina, eu deixasse um filete silencioso de água escorrendo para o fundo da pia como uma agulha de tricô, ela gritava um segundo depois, sem repreensão: "Delia, a torneira." Senti-me inquieta: ela havia desperdiçado mais água com aquela distração nas últimas horas de vida do que em toda a sua existência. Imaginei-a boiando de bruços, suspensa no centro da cozinha, sobre o fundo de lajotas azuis.

Mudei de ambiente depressa. Circulei pelo quarto, recolhendo em um saco plástico as poucas coisas que ela tinha mantido: o álbum de fotografias da família, uma pulseira, um velho vestido de inverno dos anos cinquenta do qual eu também gostava. O resto eram coisas que nem mesmo os brechós iam querer. Os poucos móveis eram velhos e feios, a cama era composta apenas pelo estrado e o colchão, os lençóis e as cobertas eram remendados com um cuidado que, tendo em vista a idade que tinham, não mereciam. O que chamou minha atenção foi que a gaveta na qual ela costumava guardar as roupas íntimas estava vazia. Procurei o saco de roupa suja e olhei lá dentro. Não havia nada além de uma camisa masculina de boa qualidade.

Examinei-a. Era azul-clara, de tamanho médio, comprada recentemente e escolhida por um homem jovem ou de gosto jovial. O colarinho estava sujo, mas o cheiro do tecido não era desagradável: o suor havia se misturado a uma boa marca de desodorante. Dobrei-a com cuidado e a pus na sacola plástica junto às outras coisas. Não era uma peça de roupa do tipo que o tio Filippo usava.

Segui para o banheiro. Não havia escova nem pasta de dente. Na porta, estava pendurado um velho roupão de banho azul-claro. O papel higiênico estava no fim. Ao lado do vaso, havia um saco de lixo cheio até a metade. Dentro não havia lixo, mas sim aquele mau cheiro de corpo cansado que se entranha nas roupas sujas ou em tecidos envelhecidos, impregnados em cada fibra pelos humores de décadas. Comecei a retirar, uma peça de cada vez, com um leve asco, toda a roupa íntima da minha mãe: velhas calcinhas brancas e cor-de-rosa, com muitos remendos e elásticos antiquados que despontavam aqui e ali no tecido descosturado, como trilhos de ferrovias nos intervalos entre um túnel e outro; sutiãs deformados e gastos; camisetas cheias de furos; elásticos para suspender as meias, daqueles que se usavam quarenta anos antes e que ela guardava inutilmente; meias-calças em estado penoso; combinações fora de moda que ninguém mais vendia havia tempo, desbotadas, com rendas amareladas.

Amalia, que sempre se vestiu com trapos porque era pobre, mas também porque tinha o costume de não se mostrar atraente — costume esse adquirido muitas décadas antes para aplacar o ciúme do meu pai —, parecia ter decidido de repente se livrar de todo o seu guarda-roupa. Voltou à minha mente a única peça de roupa que ela estava usando quando foi encontrada: o refinado sutiã novo em folha com os três Vs que uniam as taças. A imagem dos seus seios cingidos por aquela renda intensificou minha inquietação. Deixei as roupas espalhadas pelo chão, sem força para voltar a tocá-las, fechei a porta e me recostei nela.

Mas foi inútil: todo o banheiro passou por cima de mim e se recompôs à minha frente, no corredor. Amalia, então, estava sentada no vaso, me olhando com atenção enquanto eu me depilava. Eu estava cobrindo os tornozelos com uma camada de cera quente para depois, gemendo, começar a arrancá-la da pele com determinação. Enquanto isso, ela me contava que, quando garota, cortava a penugem negra dos tornozelos com tesouras. Mas os pelos logo cresceram novamente, duros como arame farpado. Também na praia, antes de pôr o maiô, aparava com a tesoura os pelos pubianos.

Passei a minha cera nela, embora ela tenha tentado se esquivar. Espalhei com cuidado a cera nos tornozelos, na parte interna das coxas magras e firmes, na virilha, censurando-a com severidade desnecessária pela anágua remendada. Depois fui arrancando a cera enquanto ela me observava, sem piscar. Não fui cautelosa, como se quisesse submetê-la a uma prova de dor, e ela me deixou agir sem dar um pio, como se tivesse aceitado a provação. Mas a pele não resistiu. Primeiro tornou-se vermelho-fogo e, logo em seguida, arroxeada, revelando uma rede de capilares rompidos.

— Não tem problema, depois passa — dissera ela enquanto eu me arrependia ligeiramente do estado em que a deixara.

Arrependimento que era mais intenso agora, ao me esforçar para mandar o banheiro de volta para trás da porta na qual eu me recostava. Para tanto, afastei-me da entrada, deixei desvanecer no corredor a imagem das pernas lívidas de minha mãe e fui buscar a bolsa na cozinha. Quando voltei ao banheiro, escolhi cuidadosamente dentre as calcinhas no chão aquela que me parecia menos estragada. Lavei-me e troquei o absorvente interno. Deixei minha calcinha no chão, entre as de Amalia. Ao passar diante do espelho, sorri para mim mesma sem querer, com a intenção de me tranquilizar.

Fiquei não sei quanto tempo ao lado da janela da cozinha, ouvindo o vozerio do beco, o vaivém das lambretas, os passos na calçada. A rua exalava um cheiro de água parada que subia pelos andaimes. Eu estava esgotada, mas não queria me deitar na cama de Amalia nem pedir ajuda ao tio Filippo ou telefonar para o meu pai ou chamar de novo a sra. De Riso. Sentia pena daquele mundo de velhos perdidos, confusos entre imagens de si mesmos que remontavam a épocas passadas, ora em harmonia ora em desacordo com sombras de coisas e pessoas de outros tempos. Todavia, eu tinha dificuldade em me manter afastada. Sentia-me tentada a ligar uma voz a outra, uma coisa a outra, um fato a outro. Já sentia Amalia de volta, querendo observar como eu passava cremes, como eu usava a maquiagem e a removia depois. Eu já começava a imaginar com aversão sua velhice secreta na qual brincava com o próprio corpo o dia inteiro, como talvez tivesse feito quando jovem, se meu pai não houvesse interpretado aquelas brincadeiras como um desejo de agradar outros homens, uma preparação para a infidelidade.

Dormi não mais do que duas horas, sem sonhar. Quando abri os olhos, o quarto estava escuro e pela janela entrava apenas a claridade nebulosa da iluminação pública, que se difundia em uma nesga do teto. Amalia estava lá em cima como uma borboleta noturna, jovem, talvez com uns vinte anos, envolvida em um roupão verde, com o ventre inchado por uma gravidez avançada. Estava deitada de costas e, apesar do rosto sereno, contorcia o corpo convulsivamente devido a um espasmo de dor. Fechei os olhos para que ela tivesse tempo de se soltar do teto e voltar à morte, depois os reabri e olhei o relógio. Eram duas e dez. Adormeci novamente, mas por poucos minutos. Então passei para um torpor cheio de imagens com as quais, sem querer, comecei a contar a mim mesma a história da minha mãe.

Amalia, no meu meio-sono, era uma mulher morena e peluda. Os cabelos, mesmo na velhice, mesmo sem vigor por causa da maresia, brilhavam como o pelo de uma pantera e eram densos, cresciam um ao lado do outro sem se abrir ao vento. Cheiravam a sabão para lavar roupa, não do tipo em pó, com uma escada impressa na embalagem. Cheiravam a sabão líquido, aquele de cor marrom que comprávamos em um porão cuja poeira, bem me lembro, causava coceira nas narinas e na garganta.

Aquele sabão era vendido por um homem gordo e glabro. Ele o pegava com uma pazinha e o colocava, junto a uma baforada de suor e pesticida, em um papel amarelo e grosso. Eu corria ofegante até Amalia, segurando a embalagem e a soprando com as bochechas infladas para eliminar os cheiros daquele porão e daquele homem; corro da mesma maneira agora, com a bochecha no travesseiro em que dormia minha mãe, embora muito tempo tenha se passado. E ela, ao me ver chegar, já desamarra os cabelos, que se soltam como se ela os tivesse esculpido em espirais sobre a testa e a negritude do penteado mudasse de estrutura molecular sob suas mãos.

Os cabelos eram longos. Amalia não terminava nunca de soltá-los e, para lavá-los, não havia sabão que bastasse: era necessário todo o recipiente do homem que o vendia no porão, no final dos degraus brancos de cinzas ou barrilha. Eu suspeitava que, às vezes, minha mãe, fugindo da minha vigilância, fosse imergi-los diretamente na tina, com o consentimento do homem da venda. Depois virava-se alegremente para mim com o rosto molhado, e a água que jorrava da torneira da cozinha escorria por sua nuca, os cílios e as pupilas negras, as sobrancelhas desenhadas com carvão, ligeiramente acinzentadas pela espuma que, em um arco na testa, pingava em gotas de água e sabão. Elas escorriam pelo nariz, rumo à boca, até que ela as capturava com a língua vermelha e parecia dizer: "Gostosas."

Eu não sabia como Amalia fazia para estar em dois lugares diferentes ao mesmo tempo: dentro da tina de sabão, ali no porão, usando uma combinação azul-clara, as alças caindo dos ombros pelos braços, e, ao mesmo tempo, entregue à água da nossa cozinha, que continuava a revestir seus cabelos com uma pátina líquida. Sem dúvida, eu havia sonhado acordada com tudo aquilo, o que estava fazendo pela enésima vez naquele momento, sentindo, pela enésima vez, um doloroso constrangimento.

De fato, o homem gordo não se contentava em apenas olhar. No verão, arrastava a tina para fora, ao ar livre. Deixava à mostra o torso nu, bronzeado, e tinha um lenço branco amarrado na testa. Remexia o recipiente com um longo bastão e enroscava, suando, a massa brilhosa de cabelos de Amalia. Enquanto isso, um rolo compressor estalava um pouco mais ao longe e avançava lentamente com seu grande cilindro de pedra cinza. Era guiado por outro homem, atarracado e musculoso, também de torso nu, com axilas cheias de pelos enrolados por causa do suor. Usava calças coloniais desabotoadas, mostrando, quando sentado, uma cavidade assustadora na altura do abdômen, e, bem-acomodado no banco da máquina, verificava como escorria da tina inclinada o alcatrão negro e denso dos cabelos de Amalia que, ao se espalharem sobre a brita, levantava vapores e fazia o ar ondular. Os cabelos da minha mãe eram piche e rareavam em pelos e penugens viçosas que se intensificavam nos lugares proibidos do corpo. Proibidos para mim: ela não permitia que eu a tocasse. Escondia o rosto, jogando por cima dele a cortina de cabelos, e oferecia a nuca ao sol para secar.

Quando o telefone tocou, ela levantou a cabeça de repente, tanto que os cabelos molhados do chão voaram pelo ar, roçaram o teto e caíram novamente sobre suas costas com um estalo que me despertou totalmente. Acendi a luz. Eu não lembrava onde ficava o telefone, que continuava a tocar. Encontrei-o no corredor, um velho aparelho dos anos sessenta que eu conhecia bem, preso à parede. Quando falei "alô", uma voz masculina me chamou de Amalia.

— Não sou Amalia — respondi. — Quem está falando?

Tive a impressão de que o homem estava reprimindo com dificuldade uma risada.

— Não sou Amalia — imitou em falsete e, em seguida, voltou a falar em um dialeto fortíssimo. — Deixe no último andar o saco com a roupa suja. Você me prometeu. E olhe direito: vai encontrar a mala com as suas coisas. Deixei lá.

— Amalia morreu — falei em um tom tranquilo. — Quem é você?

— Caserta — disse o homem.

O nome soou como soa o nome do ogro nas fábulas.

— Eu me chamo Delia — respondi. — O que tem no último andar? O que você tem dela?

— Eu, nada. É você quem está com uma coisa que me pertence — disse o homem outra vez em falsete, deturpando afetadamente meu italiano.

— Venha aqui — falei de maneira persuasiva. — Conversaremos a respeito e você leva o que precisar.

Houve um longo silêncio. Esperei a resposta, mas nunca foi dada. O homem não desligara: tinha simplesmente abandonado o telefone e ido embora.

Fui até a cozinha e bebi um copo d'água; uma água densa, com um gosto péssimo. Então voltei ao telefone e disquei o número do tio Filippo. Ele atendeu após cinco toques e, antes que eu conseguisse dizer "alô", berrou insultos de todo tipo.

— Aqui é a Delia — falei com firmeza.

Senti que ele estava com dificuldade de me identificar. Quando se lembrou, começou a balbuciar desculpas, chamando-me de "minha filha" e perguntando repetidamente se eu estava bem, onde eu estava, o que havia acontecido.

— Caserta ligou para mim — afirmei. Então, antes que ele recomeçasse a desfiar o rosário de xingamentos, ordenei: — Fique calmo.

6

Voltei ao banheiro. Chutei para trás do bidê minha calcinha suja, recolhi a roupa íntima de Amalia que eu havia espalhado pelo chão e a recoloquei no saco de lixo. Depois saí e fui até o corredor. Eu não me sentia mais deprimida nem inquieta. Fechei cuidadosamente a porta do apartamento usando as duas fechaduras e chamei o elevador.

Uma vez lá dentro, apertei o botão de número cinco. No último andar, deixei as portas do elevador abertas de forma que o espaço escuro ficasse ao menos parcialmente iluminado. Descobri que o homem havia mentido: a maleta da minha mãe não estava lá. Pensei em descer novamente, mas mudei de ideia. Pus o saco de lixo no retângulo de luz criado pelo elevador e, em seguida, fechei as portas. No escuro, acomodei-me no canto do corredor, de onde eu poderia ver bem qualquer um que saísse do elevador ou chegasse pela escada. Sentei-me no chão.

Havia décadas que, para mim, Caserta era uma cidade apressada, um lugar inquieto onde tudo corre mais rápido do que nos outros lugares. Não a cidade com características da realeza, cujo parque do século XVIII, cheio de cascatas, visitei quando criança numa segunda-feira depois da Páscoa, entre uma multidão de turistas, confusa em meio à parentada sem fim, e onde comi salame de Secondigliano e ovos cozidos em uma pasta gordurosa e apimentada. Daquela cidade e daquele parque, eu só me lembrava da água que caía rápida e do prazer aterrorizante de me perder enquanto os gritos que me chamavam tornavam-se cada vez mais distantes. Porém, o que minhas emoções mais difíceis de verbalizar registraram sobre o nome Caserta eram sobretudo enjoo, tontura e falta de ar. Às vezes, aquele lugar, que pertencia à memória menos confiável, era composto por uma escada pouco iluminada e por uma balaustrada de ferro batido. Outras vezes, era uma mancha de luz cortada por barras e coberta por uma densa retícula, que eu observava agachada no subsolo, na companhia de um menino chamado Antonio, que segurava minha mão com força. Os sons que o acompanhavam, como a trilha sonora de um filme, eram puro tumulto, um estrondo repentino, como de coisas a princípio em ordem que de repente desmoronam. O cheiro era o da hora do almoço ou do jantar, quando, de todas as portas, no vão da escadaria, misturavam-se os perfumes das cozinhas mais variadas, porém estragados por um fedor de mofo e teias de aranha. Caserta era um lugar ao qual eu não deveria ir, um bar com um letreiro, uma mulher morena, palmeiras, leões, camelos. Tinha o sabor de amêndoas confeitadas em uma caixa de doces, mas era proibido entrar. Se as meninas o faziam, não saíam mais de lá. Nem mesmo minha mãe devia entrar lá, senão meu pai a mataria. Caserta era um homem, uma silhueta de tecido escuro. A silhueta girava pendurada em um fio, primeiro uma volta para cá, depois outra para lá. Não era permitido falar sobre ele. Amalia muitas vezes era perseguida dentro de casa, alcançada, golpeada no rosto, primeiro com o dorso da mão, depois com a palma, só porque dissera o nome "Caserta".

Isso nas minhas lembranças menos datáveis. Naquelas mais nítidas, a própria Amalia falava secretamente sobre ele, aquele homem-cidade de cascatas e matagais e estátuas de pedra e pinturas de palmeiras com camelos. Ela não falava sobre ele comigo, que talvez estivesse brincando embaixo da mesa com as minhas irmãs. Falava com outras pessoas: com as mulheres que, junto a ela, costuravam luvas em casa. Em alguma parte do meu cérebro, havia ecos de frases. Uma tinha ficado impressa na minha mente, muito nítida. Não eram sequer palavras, não mais; eram sons compactos materializados em imagens. Aquele Caserta, dizia minha mãe em um sussurro, a empurrara para um canto e tentara beijá-la. Eu, ao ouvi-la, via a boca aberta daquele homem, com dentes branquíssimos e uma língua comprida e vermelha. A língua dardejava para fora dos lábios e voltava para dentro com uma velocidade que me hipnotizava. Nos anos da adolescência, eu fechava os olhos de propósito para reproduzir a meu bel-prazer aquela cena na mente e contemplá-la com uma mistura de atração e repulsa. Mas eu o fazia com culpa, como se estivesse fazendo algo proibido. Já sabia então que, naquela imagem da fantasia, havia um segredo que não podia ser revelado, não porque uma parte de mim não soubesse como acessá-lo, mas porque, se eu o fizesse, a outra parte se recusaria a nomeá-lo e me expulsaria.

Ao telefone, pouco antes, tio Filippo me dissera algumas coisas que eu já conhecia confusamente: ele falava delas e eu sabia. Podiam ser resumidas assim: Caserta era um homem infame. Quando jovem, fora amigo dele e do meu pai. No pós-guerra, meu pai e ele conseguiram fazer bons negócios: parecia ser um jovem honesto, sincero. Mas ficara de olho na minha mãe. E não apenas nela: já era casado, tinha um filho, mas importunava todas as mulheres do bairro. Quando passou da medida, meu tio e meu pai deram-lhe uma lição. E Caserta, a mulher e o filho foram embora, para viver em outro lugar. Meu tio concluíra em um dialeto ameaçador:

— Não queria tirá-la da cabeça. Então fizemos com que aquela vontade passasse para sempre.

Silêncio. Eu tinha visto sangue entre gritos e insultos. Fantasmas sobre fantasmas. Antonio, o menino que segurava minha mão, tinha ido parar no fundo mais escuro do porão. Senti por um instante a violência doméstica da minha infância e adolescência voltar aos meus olhos e ouvidos como se escorresse ao longo de um fio que nos ligava. Mas percebi pela primeira vez naquele instante, tantos anos mais tarde, que era o que eu queria.

— Vou até aí — propusera tio Filippo.

— O que um velho de setenta anos pode fazer?

Ele ficara confuso. Antes de desligar, jurei que voltaria a entrar em contato se Caserta desse sinal de vida.

E lá estava eu, no corredor, à espera. Passou-se ao menos uma hora. Do vão da escada, a claridade das luzes dos outros andares me permitia controlar, após me acostumar à escuridão, todo o espaço. Nada aconteceu. Só por volta das quatro da manhã o elevador deu um tranco brusco e o mostrador passou de verde a vermelho. A cabine desceu.

Com um salto, fui até a balaustrada: vi o elevador passar pelo quarto andar e parar no terceiro. As portas se abriram e se fecharam. Depois, silêncio novamente. Cessou também o eco das vibrações emitidas pelos cabos de aço.

Esperei um pouco, talvez cinco minutos, depois desci cautelosamente até o andar debaixo. Havia uma luz amarelada ali: as três portas que davam no corredor pertenciam aos escritórios de uma seguradora. Desci mais um lance de escadas girando em torno da cabine imóvel e escura. Eu queria olhar lá dentro, mas não o fiz, tomada pela surpresa. A porta da casa da minha mãe estava escancarada, e as luzes, acesas. Bem na soleira estava a maleta de Amalia e, ao lado, sua bolsa de couro preto. Instintivamente fiz menção de disparar rumo àqueles objetos, mas, às minhas costas, ouvi o ruído da porta de vidro do elevador. A luz iluminou a cabine, revelando um homem idoso, bem-cuidado, bonito a seu modo, com um rosto escuro e descarnado sob volumosos cabelos brancos. Estava sentado em um dos bancos de madeira, tão imóvel que parecia uma ampliação de uma foto antiga. Encarou-me por um segundo com um olhar amigável, ligeiramente melancólico. Depois, com um estrondo, a cabine partiu rumo ao alto.

Não tive dúvida. O homem era o mesmo que desfiara seu rosário de obscenidades durante o funeral de Amalia. Hesitei em segui-lo pela escada: achei que deveria fazê-lo, mas senti-me pregada ao chão como uma estátua. Fiquei observando os cabos até o elevador parar em meio ao estrépito das portas que se abriam e se fechavam depressa. Poucos segundos depois, a cabine deslizou de novo à minha frente. Antes de desaparecer rumo ao térreo, o homem me mostrou, com um sorriso, o saco de lixo que continha a roupa íntima de minha mãe.

Eu era forte, enxuta, rápida e decidida. Não só isso: eu gostava de ter certeza de ser assim. Mas, naquela circunstância, não sei o que aconteceu. Talvez tenha sido o cansaço, talvez tenha sido a comoção de encontrar escancarada aquela porta que eu havia trancado diligentemente. Talvez tenha ficado atordoada pela casa com as luzes acesas, pela maleta e pela bolsa da minha mãe na soleira. Ou talvez tenha sido outra coisa: a repulsa que senti ao perceber que a imagem daquele homem idoso do outro lado dos vidros arabescados do elevador me pareceu, por um instante, ter uma beleza obscura. Assim, em vez de segui-lo, fiquei imóvel, esforçando-me para fixar na memória os detalhes, mesmo após o elevador ter desaparecido no vão da escada.

Quando me dei conta, senti-me sem energia, triste pela sensação de ter me humilhado diante daquela parte de mim que sempre estava atenta a qualquer possibilidade de rendição da outra. Fui até a janela em tempo de ver o homem afastando-se pelo beco sob a luz dos postes, o corpo ereto, com passo ponderado, mas não custoso, o saco na mão direita, o braço bem estendido e distante do corpo, o fundo do plástico preto resvalando pelo calçamento. Voltei até a porta e fiz menção de me precipitar escada abaixo. Mas percebi que a vizinha, a sra. De Riso, havia aparecido em uma faixa vertical de luz cautelosamente aberta entre a porta e o batente.

Estava usando uma camisola comprida de algodão cor-de-rosa e me olhava com hostilidade, o rosto dividido pela corrente que devia impedir a entrada dos mal-intencionados. De certo estava ali havia tempo, observando pelo olho-mágico e ouvindo atrás da porta.

— O que está acontecendo? — perguntou em tom litigioso.
— Você não parou a noite toda.

Eu estava prestes a responder de maneira igualmente litigiosa, mas me lembrei de que ela havia mencionado um homem que minha mãe encontrava e percebi em tempo que deveria me conter se quisesse saber mais a respeito. Vi-me obrigada a desejar que aquela insinuação de fofoca que me incomodara à tarde se tornasse um bate-papo detalhado, uma conversa, uma compensação para aquela velha solitária que não sabia como passar suas noites.

— Nada — respondi, tentando normalizar a respiração —, não consigo dormir.

Ela resmungou alguma coisa sobre os mortos que têm dificuldade de ir embora.

— Na primeira noite, eles nunca deixam ninguém dormir — disse.

— A senhora ouviu barulhos? Eu a incomodei? — perguntei com falsa cortesia.

— Durmo pouco e, depois de certo tempo, não muito bem. Além do mais, essa fechadura não ajudou: você ficou abrindo e fechando a porta.

— É verdade — respondi —, estou um pouco nervosa. Sonhei que aquele homem que a senhora mencionou estava aqui no corredor.

A velha entendeu que eu havia mudado o tom de voz e estava disposta a ouvir suas fofocas, mas quis ter certeza de que eu não a rejeitaria novamente.

— Que homem? — perguntou.

— Aquele que a senhora mencionou... o que vinha aqui visitar minha mãe. Dormi pensando nele...

— Era um homem de bem, que deixava Amalia de bom humor. Trazia *sfogliatelle*, flores. Quando ele vinha, eu os ouvia conversar e rir o tempo todo. Sobretudo ela, com uma risada tão forte que dava para ouvir até do térreo.

— Do que falavam?

— Não sei, eu não ficava ouvindo. Cuido da minha vida.

Fiz um gesto impaciente.

— Mas Amalia nunca falava dele?

— Falava — admitiu a sra. De Riso. — Uma vez os vi saindo de casa juntos. Ela me disse que o conhecia havia cinquenta anos, que era quase como um parente. Se é assim, você também deve conhecê-lo. Era alto, magro, com os cabelos brancos. Sua mãe o tratava quase como um irmão. Com muita intimidade.

— Como se chamava?

— Não sei. Ela nunca me disse. Amalia fazia o que queria. Um dia, me contava tudo, mesmo que eu não quisesse ouvir, e, no seguinte, nem me cumprimentava. Sei sobre os *sfogliatelle* porque eles não comiam todos, e ela dava os que sobravam para mim. Também me dava as flores, porque o cheiro a deixava com dor de cabeça. Nos últimos meses, ela vivia com dor de cabeça. Mas me convidar para entrar e me apresentar o tal homem, nunca.

— Talvez tivesse medo de deixá-la sem graça.

— Que nada, ela queria tomar conta da própria vida. Entendi e fiquei na minha. Mas quero dizer que sua mãe não era de confiança.

— Em que sentido?

— Não se comportava devidamente. Eu vi de relance esse senhor só uma vez. Era um velho bonito, bem-vestido, e quando passou por mim fez uma sutil reverência. Ela, por sua vez, virou para o outro lado e disse um palavrão.

— Talvez a senhora não tenha entendido direito.

— Entendi muito bem. Ela andava com a mania de dizer palavrões horríveis, em voz alta, até mesmo quando estava sozinha. Depois começava a rir. Eu podia ouvi-la daqui, da cozinha.

— Minha mãe nunca falava palavrões.

— Falava, sim... Com uma certa idade, precisamos ter um pouco de recato.

— É verdade — disse.

Voltaram-me à mente a maleta e a bolsa na porta de casa. Eu as via como objetos que, devido ao percurso que deviam ter feito, perderam a dignidade de pertences de Amalia. Queria tentar restabelecer aquela dignidade. Mas a velha, encorajada por meu tom submisso, tirou a corrente da porta e saiu.

— De qualquer modo — disse —, a esta hora não durmo mais.

Fiquei como medo de que ela quisesse entrar em casa e rapidamente recuei para o apartamento de minha mãe.

— Já eu vou tentar dormir um pouco — rebati.

A sra. De Riso fechou a cara e logo desistiu de me seguir. Voltou a pôr a corrente na porta com ressentimento.

— Amalia também sempre queria entrar na minha casa, mas nunca me deixava entrar na dela — murmurou.

Depois fechou a porta na minha cara.

8

Sentei-me no chão e comecei pela mala. Abri-a, mas não encontrei nada que pudesse reconhecer como pertence da minha mãe. Tudo era novo em folha: um par de pantufas cor-de-rosa, um robe de cetim rosado, dois vestidos nunca usados — um vermelho-ferrugem justo e jovial demais para ela, outro mais recatado, azul-escuro, mas curto —, cinco calcinhas de boa qualidade, um nécessaire de couro marrom cheio de perfumes, desodorantes, cremes, maquiagens, loções de limpeza de pele... ela, que nunca se maquiou na vida.

Passei para a bolsa. A primeira coisa que tirei lá de dentro foram calcinhas de renda branca. Logo percebi, devido aos três Vs bem visíveis na lateral direita e ao estilo elegante, que faziam par com o sutiã que Amalia estava usando quando se afogou. Examinei-as com cuidado: tinham um pequeno rasgo do lado esquerdo, como se houvessem sido usadas mesmo que fossem claramente de um tamanho menor do que o necessário. Senti um nó no estômago e prendi a respiração. Depois voltei a remexer na bolsa, procurando, primeiro, as chaves de casa. Obviamente não as achei. Mas encontrei os óculos de leitura, nove fichas de telefone e a carteira. Nesta, havia duzentas e vinte mil liras (uma quantia vultosa para Amalia, que vivia com o pouco dinheiro que nós, as três filhas, lhe dávamos todo mês), uma conta de luz paga, sua carteira de identidade dentro de uma capinha de plástico, uma velha foto minha e das minhas irmãs com nosso pai. A foto estava danificada. Nossas imagens, capturadas tanto tempo antes, estavam amareladas, atravessadas por rachaduras como as figuras de demônios alados que os fiéis riscavam com objetos pontudos em certos retábulos.

Deixei a foto no chão e me levantei, lutando contra um enjoo crescente. Procurei uma lista telefônica pela casa e, quando a encontrei, rapidamente busquei por Caserta. Eu não queria ligar para ele: queria o endereço. Quando descobri que havia três folhas cheias de Caserta, percebi também que não sabia seu nome: ninguém, durante toda a minha infância, jamais o chamara por outro nome a não ser Caserta. Então joguei a lista telefônica em um canto e fui para o banheiro. Não consegui mais conter a ânsia de vômito e, por alguns segundos, tive medo de que todo o meu corpo se rebelasse contra mim, com uma fúria autodestrutiva que sempre temi quando criança e que tentei dominar enquanto crescia. Em seguida, me acalmei. Enxaguei a boca e lavei com cuidado o rosto. Ao vê-lo pálido e esgotado no espelho inclinado sobre a pia, decidi, de repente, me maquiar.

Era uma reação incomum. Eu não me maquiava nem com frequência nem de bom grado. Era algo que fazia quando garota, mas que abandonara havia algum tempo: eu não achava que a maquiagem melhorava a minha aparência. Mas, naquela ocasião, achei que precisava. Peguei o nécessaire da mala da minha mãe, voltei ao banheiro, abri-o e tirei de dentro um pote repleto de creme hidratante com a marca do dedo de Amalia na superfície. Apaguei aquele rastro com o meu e usei o creme com abundância. Espalhei-o pelo rosto de forma enérgica, esticando as bochechas. Depois recorri ao pó de arroz e polvilhei-o meticulosamente no rosto.

"Você é um fantasma", eu disse à mulher no espelho. Ela tinha o rosto de uma pessoa por volta dos quarenta anos, fechava primeiro um olho, depois o outro, e, em cada um, passava o lápis preto. Era magra, angulosa, com as maçãs do rosto proeminentes, milagrosamente sem rugas. Os cabelos eram curtíssimos para ostentar o mínimo possível o tom corvino que, finalmente, com certo alívio, estava se tornando grisalho, preparando-se para sumir de uma vez por todas. Passei o rímel.

"Não me pareço com você", sussurrei enquanto passava um pouco de blush. E, para não ser desmentida, tentei não olhar para ela. Então, no espelho, notei o bidê. Virei-me para entender o que estava faltando naquele objeto de modelo antigo, com monumentais torneiras incrustadas e, quando percebi, senti vontade de rir: Caserta também levara a calcinha ensanguentada que eu havia deixado no chão.

9

O café estava quase pronto quando cheguei na casa do tio Filippo. Com um braço só, ele misteriosamente conseguia fazer tudo. Tinha uma cafeteira antiquada, do tipo que se usava antes que as máquinas de espresso italianas se estabelecessem em todas as casas. Era um cilindro de metal com um bico que, desmontado, se dividia em quatro partes: um recipiente para ferver a água, um compartimento para o café moído, a tampa de rosca coberta de pequenos furos e o bule. Quando entrei na cozinha, a água quente já estava caindo no bule e um cheiro intenso de café se espalhava pelo apartamento.

— Você está ótima — afirmou, mas não creio que aludisse à maquiagem.

Nunca me parecera capaz de distinguir entre uma mulher com e sem maquiagem. Queria apenas dizer que eu estava com uma aparência particularmente boa naquela manhã. De fato, enquanto bebericava o café pelando, acrescentou:

— Das três, você é a que mais se parece com Amalia.

Esbocei um sorriso. Eu não queria alarmá-lo contando o que havia acontecido durante a noite. Também não queria começar a discutir minha semelhança com Amalia. Eram sete da manhã e eu estava cansada. Meia hora antes, eu havia cruzado uma Via Foria semideserta, com sons ainda tão suaves que era possível ouvir o canto dos pássaros. O ar estava fresco, aparentemente limpo, e a luz nebulosa, indecisa entre um dia de céu aberto ou fechado. Mas, na Via Duomo, os sons da cidade já tinham se intensificado, as vozes das mulheres nas casas também, e o ar se tornara mais cinza e pesado. Com uma grande sacola de plástico na qual eu enfiara o conteúdo da maleta e da bolsa da minha mãe, cheguei na casa do meu tio surpreendendo-o com suas calças desabotoadas e largas, a regata sobre o torso ossudo, o cotoco de braço nu. Ele escancarara as janelas e logo se arrumara. Então tinha começado a me atormentar com ofertas de comida. Eu queria pão fresco, queria leite, queria uns biscoitos?

Não me fiz de rogada e comecei a beliscar uma coisa ou outra. Tio Filippo enviuvara havia seis anos, morava sozinho como todos os velhos sem filhos, dormia pouco. Estava contente com a minha presença, apesar da hora matutina, e eu também me sentia feliz de estar ali. Queria uns poucos minutos de trégua, a bagagem que eu havia deixado na casa dele uns dias antes, trocar de roupa. Planejava ir logo à loja das irmãs Vossi. Mas tio Filippo estava ávido por companhia e conversa. Ameaçou Caserta com mortes horríveis. Desejou que já tivesse morrido de maneira dolorosa durante a noite. Censurou a si mesmo por não tê-lo matado no passado. E, depois, usando conexões difíceis de identificar, começou a pular de uma história de família para outra em um dialeto fortíssimo. Não parou nem para tomar fôlego.

Após algumas tentativas, desisti de interrompê-lo. Ele resmungava, se enfurecia, ficava com os olhos cheios d'água, fungava. Quando o discurso chegou em Amalia, passou em poucos minutos de suspiros e elogios à irmã a críticas impiedosas pelo fato de ela ter abandonado meu pai. Para completar, esqueceu-se de falar dela no passado e começou a censurá-la como se ainda estivesse viva e presente, ou prestes a despontar do outro cômodo. "Amalia", ele começou a gritar, "nunca pensa nas consequências: sempre foi assim, deveria ter sentado, refletido e esperado; em vez disso, um dia acordou e foi embora de casa com as três filhas". Não devia ter feito isso, segundo tio Filippo. Logo percebi que queria traçar uma conexão entre aquela separação de vinte e três anos antes com a decisão da irmã de se afogar.

Não fazia o menor sentido. Fiquei incomodada, mas deixei que ele falasse, ainda mais porque, vez por outra, interrompia-se e, mudando o tom de hostil para afetuoso, corria e pegava da despensa mais latas: balas de menta, biscoitos velhos, uma geleia de amora embranquecida de mofo, mas, segundo ele, ainda boa.

Enquanto eu, de início, rejeitava suas ofertas e, depois, beliscava conformada, ele recomeçava a falar, confundindo datas e fatos. Era 46 ou 47? — esforçava-se para lembrar. Então mudava de ideia e concluía: depois da guerra. Depois da guerra, foi Caserta quem percebeu que era possível usar o talento do meu pai para vivermos um pouco melhor. Tínhamos de ser honestos e admitir que, sem ele, meu pai teria continuado a pintar, por uma ninharia, montanhas, luas, palmeiras e camelos nas lojas do bairro. Caserta, porém, que era esperto, de pele escura como um sarraceno, mas com olhos de diabo assanhado, começou a andar para cima e para baixo com os marinheiros americanos. Não para vender mulheres ou outras mercadorias. Caserta ficava atrás dos marinheiros angustiados pela saudade. E, em vez de mostrar fotos de moças à venda, insistia para que eles tirassem da carteira as fotos das mulheres que haviam deixado em casa. Depois de transformá-los em meninos abandonados e ansiosos, negociava o preço e levava as fotos para o meu pai, que as transformava em retratos a óleo.

Eu também me lembrava daquelas imagens. Meu pai permaneceu trabalhando com elas durante anos, mesmo sem Caserta. Parecia que os marinheiros, de tanto suspirar, deixavam as imagens de suas mulheres gastas. Eram fotos de mães, irmãs e namoradas, todas louras, sorridentes, fotografadas com permanente nos cabelos, sem um fio fora do lugar, joias penduradas no pescoço e nas orelhas. Pareciam empalhadas. E, ainda por cima, como na nossa foto que Amalia guardava e em todas as fotos corroídas pela ausência, a pátina da impressão havia se desgastado, e a imagem muitas vezes estava dobrada nos cantos ou atravessada por fendas brancas que cortavam rostos, roupas, colares, penteados. Eram rostos moribundos mesmo na fantasia de quem os guardava com desejo e sentimento de culpa. Meu pai as pegava das mãos de Caserta e as prendia ao cavalete com uma tachinha. Depois, em um piscar de olhos, fazia surgir na tela uma mulher que parecia verdadeira, uma mãe-irmã-esposa que suspirava em vez de causar suspiros. As rachaduras sumiam, o preto e branco se tornava cor, pele. E a maquiagem daquele arrimo da memória era executada com perícia suficiente para deixar contentes homens perdidos e desolados. Caserta passava para retirar a mercadoria, deixava um pouco de dinheiro e ia embora.

Assim — relatava meu tio —, em pouco tempo a vida mudou. Graças às mulheres dos marinheiros americanos, comíamos todos os dias. Meu tio também, pois na época estava sem emprego. Minha mãe lhe dava um pouco de dinheiro, mas com o consentimento do meu pai. Ou talvez escondido. Finalmente, depois de anos de privações, tudo estava melhorando. Se Amalia tivesse prestado mais atenção às consequências, se não tivesse se intrometido, sabe-se lá aonde teríamos chegado. Muito longe, segundo meu tio.

Pensei naquele dinheiro e na minha mãe, em como ela aparecia nas fotos do álbum de família: dezoito anos, o ventre já arqueado pela minha presença dentro dela, em pé, ao ar livre, em uma varanda; ao fundo, sempre se via uma parte de sua Singer. Devia ter largado a máquina de costura somente para ser fotografada; em seguida, após aquele instante, tenho certeza de que voltou a trabalhar, curvada, e nenhuma foto jamais a imortalizou naquela miséria da labuta comum, sem um sorriso, sem olhos brilhantes, sem cabelos arrumados para que parecesse mais bonita. Acho que tio Filippo nunca pensou na contribuição do trabalho de Amalia. Nem mesmo eu havia pensado. Balancei a cabeça, insatisfeita comigo mesma: odiava falar do passado. Por isso, enquanto morei com Amalia, vi meu pai no máximo dez vezes, obrigada por ela. E, desde que me mudara para Roma, apenas duas ou três vezes. Ele ainda morava na casa onde nasci, com dois cômodos e uma cozinha. Passava o dia todo sentado, pintando feias paisagens do golfo ou toscos mares revoltos para feirinhas de vilarejos. Sempre ganhou a vida assim, recebendo uns trocados de intermediários como o tal Caserta, e jamais gostei de vê-lo acorrentado à repetição dos mesmos gestos, das mesmas cores, das mesmas formas, dos mesmos cheiros que eu conhecia desde a infância. Sobretudo, eu não suportava que ele expusesse para mim seus motivos confusos, cobrindo Amalia de insultos e nunca lhe dando qualquer mérito.

Não, eu não gostava de mais nada do passado. Havia cortado laços com todos os parentes para evitar que, em cada encontro, lamentassem no seu dialeto o grande azar da minha mãe e disparassem ameaçadoras vulgaridades sobre o meu pai. Só sobrara ele, o tio Filippo. Ao longo dos anos, eu o vira não por escolha, mas simplesmente porque ele aparecia do nada lá em casa e brigava com a irmã. Era veemente, com a voz altíssima, depois os dois faziam as pazes. Amalia era muito apegada àquele único irmão trapalhão, dominado desde jovem pelo cunhado e por Caserta. E, de certo modo, ficava contente que ele continuasse a visitar meu pai e fosse contar a ela como estava, o que andava fazendo, no que estava trabalhando. Já eu — embora sentisse uma antiga simpatia por aquele seu corpo mutilado e por sua agressividade de mafioso fanfarrão que, se eu quisesse, poderia nocautear com um único soco — teria preferido que ele também tivesse desvanecido como tantos outros tios e tias-avós. Eu tinha dificuldade em aceitar que ele desse razão ao meu pai e culpasse minha mãe. Era irmão dela, a vira centenas de vezes inchada por causa de tapas, socos, chutes; contudo, nunca movera uma palha para ajudá-la. Fazia cinquenta anos que continuava a reiterar sua solidariedade ao cunhado, fielmente. Faz somente poucos anos que consigo ouvi-lo sem ficar alarmada. Mas, quando garota, eu não suportava que ele tomasse partido daquela forma. A certa altura, enfiava dois dedos nos ouvidos para não escutar. Talvez eu não tolerasse que a parte mais secreta de mim usasse aquela sua solidariedade para validar uma hipótese cultivada igualmente em segredo: a de que minha mãe levava inscrita no corpo uma culpa natural, independente da sua vontade e das suas ações, aparecendo prontamente quando necessário, em cada gesto, em cada suspiro.

— Esta camisa é sua? — perguntei para mudar de assunto, tirando de uma das sacolas de plástico a camisa azul que eu havia encontrado na casa de Amalia.

Interrompi bruscamente seu discurso, e ele ficou desorientado por um instante, de olhos arregalados e lábios entreabertos. Depois, emburrado, examinou longamente a peça de roupa. Mas enxergava pouco ou nada sem óculos: fez aquilo só para se acalmar depois do ataque de fúria e passar uma aparência de controle.

— Não — respondeu —, nunca tive uma camisa assim.

Contei que a havia encontrado na casa de Amalia entre as roupas sujas. Foi um erro.

— De quem é? — quis saber ele, voltando a ficar agitado, como se eu não estivesse tentando descobrir a mesma coisa.

Tentei explicar que eu não sabia, mas foi inútil. Ele devolveu a camisa como se a julgasse infectada e recomeçou a criticar implacavelmente a irmã.

— Ela sempre fez isso — voltou a disparar, furioso, em dialeto. — Lembra da história das frutas que ela recebia em casa, de graça, todos os dias? Era um mistério: ela não sabia nada a respeito. E o livro de poesia com a dedicatória? E as flores? E os *sfogliatelle* diariamente às oito em ponto? E o vestido, você se lembra dele? Será que não se lembra de nada? Quem comprou aquele vestido, do tamanho dela certinho? Ela afirmava que não sabia de nada. Mas usou o vestido para sair, às escondidas, sem dizer ao seu pai. Explique-me você por que ela fez isso.

Percebi que ele continuava a considerá-la sutilmente ambígua, como Amalia sabia ser até mesmo quando meu pai a pegava pelo pescoço, deixando hematomas em forma de dedos. Para nós, filhas, ela dizia: "Ele é assim. Não sabe o que faz e eu não sei o que dizer a ele." Mas nós, por outro lado, pensávamos que ele, por tudo o que fazia com ela, devia sair de casa uma manhã e morrer queimado ou esmagado ou afogado. Pensávamos isso e sentíamos ódio dela, por ser o combustível daqueles pensamentos. Quanto a isso, não tínhamos dúvidas, e eu não esquecera.

Eu não esquecera nada, mas também não queria lembrar. Se necessário, podia contar tudo a mim mesma, nos mínimos detalhes, mas para quê? Contava-me apenas o que servia de acordo com a situação, decidindo a cada instante, conforme a necessidade. Naquele momento, por exemplo, eu via os pêssegos pisoteados no chão, as rosas sendo marteladas dez, vinte vezes contra a mesa da cozinha com as pétalas vermelhas voando pelos ares e caindo por toda parte, os caules espinhentos ainda embrulhados em papel-alumínio, os doces atirados pela janela, o vestido queimado no fogão. Sentia o cheiro nauseante que emana de um tecido quando alguém deixa, distraído, o ferro quente em cima dele, e estava com medo.

— Não, vocês não se lembram nem sabem de nada — disse meu tio, como se eu representasse ali, naquele momento, também minhas duas irmãs.

E quis me obrigar a lembrar: sabíamos que meu pai começara a bater nela só quando quis desistir de Caserta e dos retratos para os americanos e ela se opôs? Não era assunto para Amalia se meter. Mas ela tinha o vício de se meter em tudo, sem pensar. Meu pai tinha criado uma cigana que dançava nua. Mostrou o desenho a um sujeito que comandava uma rede de ambulantes que percorriam as ruas da cidade e da província vendendo cenas campestres e marinhas. O sujeito, que se chamava Migliaro e sempre arrastava consigo um filho de dentes tortos, considerou que seria um sucesso no consultório dos médicos e dentistas. Disse-lhe que, por aquelas ciganas, estava disposto a pagar uma porcentagem muito mais alta do que a de Caserta. Mas Amalia foi contra, não queria que meu pai deixasse Caserta, não queria que ele pintasse ciganas, não queria nem mesmo que ele as mostrasse a Migliaro.

— Vocês não se lembram e não sabem — repetiu tio Filippo, rancoroso pela maneira como haviam passado aqueles tempos que lhe pareciam bons: evaporando sem dar os frutos prometidos.

Perguntei-lhe então que fim havia levado Caserta depois da ruptura com meu pai. Passaram por seus olhos muitas respostas furiosas possíveis. Depois ele decidiu deixar de lado as mais violentas e afirmou, com orgulho, que tinham dado a Caserta o que ele merecia.

— Você contou tudo ao seu pai. Ele ligou para mim, e saímos para matá-lo. Se tivesse tentado reagir, nós o teríamos realmente matado.

Tudo. Eu. Não gostei daquela alusão e não quis saber quem era o "você" que ele havia mencionado. Apaguei qualquer som que fizesse as vezes do meu nome, como se não fosse possível, de nenhum modo, se referir a mim. Ele me olhou com ar interrogativo e, ao me ver impassível, balançou novamente a cabeça em desaprovação.

— Você não se lembra de nada — voltou a repetir meu tio, desconsolado.

E passou a me contar sobre Caserta. Depois do ocorrido, Caserta ficara assustado e entendera o recado. Vendera um bar-

-confeitaria meio falido que era do pai, e fora embora do bairro com a mulher e o filho. Depois de um tempo, houve boatos de que se tornara receptador de remédios roubados. Na sequência, disseram que havia investido o dinheiro obtido com tráfico em uma gráfica. Estranho, porque ele não era tipógrafo. A hipótese do tio Filippo era a de que ele imprimia capas para discos falsificados. De qualquer maneira, a certa altura, um incêndio destruiu a gráfica, e Caserta passou um tempo internado por causa das queimaduras que sofreu nas pernas. Desde então, tio Filippo não soubera de mais nada. Alguns achavam que Caserta ficara rico com o dinheiro do seguro e fora morar em outra cidade. Outros diziam que, depois daquelas queimaduras, passara de médico em médico sem nunca receber alta: não pelo ferimento nas pernas, mas pelos parafusos a menos na cabeça. Sempre fora um homem estranho: diziam que, ao envelhecer, foi se tornando cada vez mais. E isso era tudo. Tio Filippo não sabia de mais nada sobre Caserta.

Perguntei qual era o nome de batismo dele: eu havia procurado na lista telefônica, mas existiam Casertas demais.

— Não ouse procurá-lo — ordenou, novamente raivoso.

— Não estou procurando por Caserta — menti. — Quero ver Antonio, filho dele. Brincávamos juntos quando eu era criança.

— Não é verdade. Você quer ver Caserta.

— Vou perguntar ao meu pai — ocorreu-me dizer.

Ele me olhou espantado, como se eu fosse Amalia.

— Você está fazendo isso de propósito — murmurou. E acrescentou baixinho: — Nicola. Ele se chamava Nicola. Mas não adianta procurar na lista telefônica: Caserta é um apelido.

O sobrenome verdadeiro está em algum lugar na minha cabeça, mas não me lembro.

Pareceu realmente se concentrar para me agradar, mas depois cedeu, abatido.

— Chega, volte para Roma. Se você realmente tem intenção de ver seu pai, pelo menos não mencione essa camisa. Mesmo hoje, ele mataria sua mãe por algo assim.

— Ele não pode fazer mais nada a ela — lembrei-lhe.

Mas meu tio perguntou, como se não tivesse ouvido:

— Quer mais um pouco de café?

10

Desisti de mudar de roupa. Fiquei com o vestido escuro, empoeirado e amassado. Mal consegui arrumar tempo para trocar o absorvente. Tio Filippo não me deixou um minuto sem as suas cortesias e os seus acessos de raiva. Quando eu disse que precisava ir à loja das irmãs Vossi para comprar roupas íntimas, ficou confuso, e calou-se por poucos segundos. Depois se ofereceu para me acompanhar até o ônibus.

O dia estava cada vez mais escuro, sem brisa, e o ônibus estava cheio. Tio Filippo avaliou a multidão e decidiu subir também para me proteger — segundo ele — dos batedores de carteira e da ralé. Por uma feliz circunstância, um lugar ficou vago: disse a ele para se sentar, mas ele recusou energicamente. Então eu mesma me sentei, e teve início uma viagem extenuante através de uma cidade sem cores, sufocada por engarrafamentos. No ônibus, havia um cheiro forte de amoníaco e revoava uma lanugem que havia entrado sabe-se lá quando pelas janelas abertas. Pinicava o nariz. Meu tio conseguiu arrumar briga primeiro com um sujeito que não havia se afastado com rapidez suficiente quando, para alcançar o lugar que estava vagando, pedi passagem, e depois com um jovem que fumava apesar da proibição. Os dois o trataram com um ameaçador desprezo que de forma alguma levava em conta seus setenta anos ou seu braço aleijado. Ouvi tio Filippo xingar e ameaçar enquanto era carregado pela multidão para longe de mim, em direção ao centro do veículo.

Comecei a suar. Eu estava espremida entre duas senhoras idosas que olhavam para a frente com uma rigidez antinatural. Uma tinha a bolsinha bem apertada debaixo do braço; a outra segurava a sua junto à barriga, a mão no fecho, o polegar em um anel preso ao zíper. Os passageiros em pé se curvavam, respirando em cima de nós. As mulheres sufocavam entre os corpos masculinos, bufando por causa da proximidade incômoda, embora aparentemente sem culpa. Os homens, na multidão, serviam-se das mulheres para brincar consigo mesmos em silêncio. Um encarava com expressão irônica uma moça morena para ver se ela abaixava os olhos. Outro espiava um pedaço de renda entre botões de uma blusa ou fisgava com o olhar uma alça. Outros ainda passavam o tempo olhando em direção à janela, para dentro dos carros, na tentativa de ver pedaços de pernas descobertas, o movimento dos músculos enquanto os pés apertavam freio ou embreagem, um gesto distraído para coçar a parte interna de uma coxa. Um homem pequeno e magro, esmagado por aqueles que estavam atrás, buscava contatos breves com os meus joelhos e quase respirava entre os meus fios de cabelo.

Virei-me para a janela mais próxima em busca de ar. Quando, na infância, eu fazia aquele mesmo percurso de bonde com a minha mãe, o veículo subia a colina rateando, com uma espécie de zurro penoso de asno, entre velhos edifícios cinzentos, até que aparecia um pedaço de mar sobre o qual, na minha imaginação, o bonde velejava. Os vidros vibravam nas molduras de madeira. O chão também vibrava, transmitindo ao corpo uma trepidação agradável que eu deixava chegar até os dentes, afrouxando um pouco os maxilares para sentir como as arcadas roçavam uma na outra.

Era uma viagem que me agradava, a ida de bonde, a volta de funicular: as mesmas máquinas lentas, sem frenesi, só eu e minha mãe. No alto, oscilavam, presas ao corrimão por tiras de couro, grandes argolas. Se você agarrava uma delas, o peso do corpo fazia saltar, do bloco metálico acima da empunhadura, escritas e desenhos coloridos, letras e imagens diferentes a cada puxão. As argolas faziam propaganda de graxa de sapato, calçados, várias mercadorias das lojas da cidade. Se o veículo não estivesse cheio, Amalia deixava no assento alguns dos seus embrulhos de papel pardo e me pegava no colo para que eu brincasse com as argolas.

Porém, se estivesse lotado, qualquer prazer era proibido. Então eu ficava aflita para proteger minha mãe do contato com os homens, como sempre havia visto meu pai fazer na mesma situação. Eu me postava como um escudo atrás dela, crucificada em suas pernas, a testa contra suas nádegas, os braços esticados, uma das mãos agarrada no apoio de ferro do banco da direita, a outra, no da esquerda.

Era um esforço inútil; o corpo de Amalia não se deixava conter. Os quadris se estendiam pelo corredor na direção dos quadris dos homens ao seu lado; as pernas e a barriga inchavam na direção do joelho ou das costas de quem estivesse sentado à sua frente. Ou talvez acontecesse o contrário. Eram os homens que colavam nela como moscas no papel grudento e amarelado que ficava pendurado nos açougues ou perpendicularmente nos balcões dos vendedores de frios, cheios de insetos mortos. Era difícil mantê-los afastados com chutes e cotoveladas. Acariciavam minha nuca alegremente e diziam para a minha mãe:

"Estão esmagando essa garotinha linda." Alguns queriam até me pegar no colo, mas eu recusava. Minha mãe ria e falava: "Chegue para cá, venha." Eu resistia, angustiada. Sentia que, caso cedesse, eles a levariam embora e eu ficaria sozinha com meu pai furioso.

Eu nunca sabia se a violência com que ele a protegia dos outros homens esmagaria apenas os rivais ou também acabaria se voltando, fatalmente, contra ele mesmo. Meu pai era um homem insatisfeito. Talvez não tivesse sido sempre assim, mas foi no que ele se transformou quando parou de zanzar pelo bairro, ganhando o sustento decorando balcões de lojas ou carrinhos em troca de comida, e acabou pintando, em telas ainda não montadas em chassis, pastorinhas, paisagens marinhas, naturezas-mortas, lugares exóticos e exércitos de ciganas. Sabe-se lá que destino ele imaginava para si mesmo e ficava furioso porque a vida não mudava, porque Amalia não acreditava que fosse mudar, porque as pessoas não gostavam dele como deveriam. Vivia repetindo, para convencer a ela e a si mesmo, que minha mãe tivera muita sorte de se casar com ele. Ela, tão escura, não se sabia de que linhagem vinha. Ele, por sua vez, que era branco e louro, achava ter sei lá o que no sangue. Embora repetisse até a náusea as mesmas cores, os mesmos temas, os mesmos campos e os mesmos mares, fantasiava desenfreadamente as próprias capacidades. Nós, filhas, tínhamos vergonha dele e acreditávamos que podia nos machucar da mesma forma como ameaçava fazer com qualquer pessoa que tocasse nossa mãe. No bonde, quando ele também estava presente, sentíamos medo. Ele vigiava sobretudo os homens pequenos e escuros, de cabelos encaracolados e lábios grossos. Atribuía àquele tipo antropológico a tendência a raptar o corpo de Amalia, mas talvez pensasse que minha mãe é que fosse atraída por aqueles corpos inquietos, rústicos, fortes. Uma vez cismou que um homem na multidão a tocara. Estapeou-a na frente de todos; na nossa frente. Fiquei dolorosamente assombrada. Eu tinha certeza de que ele mataria o homem e não entendia por que, em vez disso, a esbofeteara. Ainda hoje eu não sei por que o fizera. Talvez para puni-la por ter sentido no tecido do vestido, na pele, o calor do corpo de outro homem.

Parados no caos da Via Salvator Rosa, descobri que não sentia mais simpatia alguma pela cidade de Amalia, pelo idioma em que ela falava comigo, pelas ruas que eu havia percorrido quando garota, pelas pessoas. Quando, a certa altura, surgiu na paisagem uma nesga de mar (a mesma que, durante a infância, me entusiasmava), pareceu-me papel de seda violeta colado em uma parede rachada. Percebi que estava perdendo minha mãe para sempre e que era exatamente aquilo que eu queria.

A loja das irmãs Vossi ficava na Piazza Vanvitelli. Quando garota, eu costumava parar na frente das vitrines sóbrias, com vidros grossos em molduras de mogno. A entrada tinha uma velha porta com a metade superior de vidro e, acima do batente, estavam gravados os três Vs e a data de fundação: 1948. Atrás do vidro, que era opaco, eu não sabia o que existia: nunca tive a necessidade de verificar nem o dinheiro para fazê-lo. Parei muitas vezes do lado de fora sobretudo porque gostava da vitrine de canto, onde as roupas para senhoras ficavam casualmente apoiadas sob uma pintura que eu não era capaz de datar, mas que com certeza fora obra de uma mão talentosa. Duas mulheres, cujos perfis quase se sobrepunham de tão próximas que estavam, empenhadas em fazer os mesmos movimentos, corriam com a boca escancarada da direita para a esquerda da tela. Não era possível saber se estavam seguindo alguém ou se eram seguidas. A imagem parecia ter sido arrancada de um cenário muito mais amplo, de maneira que não era possível ver a perna esquerda das mulheres, e seus braços estendidos apareciam cortados na altura dos pulsos. Meu pai, que sempre tinha críticas sobre tudo o que havia sido pintado ao longo dos séculos, também gostava dela. Inventava autorias estapafúrdias fingindo ser um especialista, como se todas nós não soubéssemos que ele não havia frequentado escolas de nenhum tipo, que sabia pouco ou nada de arte e que era capaz de pintar, dia e noite, apenas suas ciganas. Quando estava animado e disposto a se exibir mais do que de costume para as filhas, chegava até a atribuí-la a si mesmo.

Fazia pelo menos vinte anos que eu não tinha a oportunidade de subir a colina, de ir a esse local a poucos passos do castelo de San Martino que eu lembrava como sendo diferente do resto da cidade, fresco e limpo. Logo me irritei. A praça me pareceu mudada, com esparsos plátanos mirrados, devorada pela lataria dos carros e encoberta por andaimes de ferro pintados de amarelo. No centro da praça de antigamente, eu tinha lembranças de palmeiras que me pareciam altíssimas. Restara apenas uma, anã, doente, cercada pelas barreiras cinza das obras em andamento. Além disso, não encontrei a loja à primeira vista. Seguida por meu tio, que continuava por conta própria a briga com os passageiros do ônibus, embora o episódio tivesse acontecido uma hora antes, dei uma volta naquele espaço empoeirado, barulhento, bombardeado por britadeiras e buzinas, sob as nuvens de um céu que parecia querer chover, mas não conseguia. Finalmente, parei diante de manequins de mulheres carecas usando calcinha e sutiã, dispostos propositalmente em poses audaciosas, muitas vezes vulgares. Entre espelhos, metais dourados e materiais com cores elétricas, tive dificuldade em reconhecer os três Vs na parte superior da porta, a única coisa que havia permanecido idêntica. Nem o quadro de que eu gostava continuava lá.

Olhei para o relógio: dez e quinze. O vaivém era tal que toda a praça — prédios, colunatas cinza-arroxeadas, nuvens de sons e poeira — parecia um carrossel. Tio Filippo deu uma olhada nas vitrines e logo se virou para o outro lado, constrangido: excesso de pernas abertas, excesso de seios volumosos; maus pensamentos o acometiam. Disse que me esperaria na esquina e pediu que eu não demorasse. Pensei que eu não havia pedido para ele me seguir até ali e entrei.

Sempre imaginei que a parte interna da Vossi ficasse imersa na penumbra e fosse habitada por três gentis senhoras com vestidos compridos, colares de pérolas no pescoço e cabelos em coques presos com grampos antiquados. Encontrei, porém, um ambiente fastosamente iluminado, clientes barulhentas, manequins vestidos com robes de cetim, camisetas multicoloridas, shortinhos de seda, balcões e mesinhas que sobrecarregavam o ambiente de mercadorias, vendedoras muito jovens com maquiagem pesada, todas usando uniforme cor de pistache muito apertado e com os três Vs bordados no peito.

— Esta é a loja das irmãs Vossi? — perguntei a uma delas, a que tinha aparência mais gentil, talvez desconfortável em seu uniforme.

— É, sim. Posso ajudá-la?

— Eu poderia falar com uma das senhoras Vossi?

A garota me olhou, perplexa.

— Não estão mais aqui — disse.

— Morreram?

— Não, acho que não. Elas se aposentaram.

— Venderam a loja?

— Estavam idosas, venderam tudo. Temos uma nova administração agora, mas a marca é a mesma. A senhora é cliente antiga?

— Minha mãe — respondi, e comecei a tirar lentamente da sacola de plástico que eu havia levado comigo as roupas íntimas, o robe, os dois vestidos e as cinco calcinhas que encontrei na maleta de Amalia, pondo tudo em cima do balcão. — Acho que ela comprou tudo isto aqui.

A vendedora olhou com atenção.

— A mercadoria é nossa — confirmou com ar interrogativo. Percebi que, com base na idade que eu aparentava, ela estava tentando calcular a da minha mãe.

— Vai fazer sessenta e três anos em julho — falei. Depois ocorreu-me mentir: — Não eram para ela. Eram presentes para mim, para o meu aniversário. Fiz quarenta e cinco anos no último 23 de maio.

— Parece ter pelo menos quinze a menos — disse a moça, esforçando-se para fazer seu trabalho.

Expliquei em um tom cativante:

— São peças bonitas, do meu gosto. Só que esse vestido me aperta um pouco, e as calcinhas estão um pouco justas.

— Gostaria de trocar? Precisamos da notinha.

— Não tenho a notinha. Mas foram comprados aqui. Não se lembra da minha mãe?

— Não sei. Por aqui passam tantas pessoas.

Dei uma olhada nas pessoas a que a vendedora havia aludido: mulheres falando alto em um dialeto cheio de alegria forçada, rindo ruidosamente e cobertas de joias preciosíssimas, saíam dos provadores só de calcinha e sutiã ou em pequenos maiôs dourados, prateados ou com estampas de leopardo, ostentando um excesso de carne sulcada por estrias e perfurada de celulites, contemplando o púbis e as nádegas, erguendo os seios com as mãos em concha, ignorando as vendedoras e se dirigindo naquelas poses a um homem que parecia uma espécie de leão de chácara, bem-vestido e bronzeado, posicionado ali justamente para canalizar o fluxo de dinheiro delas e ameaçar com os olhos as vendedoras ineficientes.

Não era a clientela que eu havia imaginado. Pareciam mulheres cujos maridos haviam enriquecido de repente e com facilidade, arremessando-as em um luxo provisório do qual eram obrigadas a desfrutar, e cuja subcultura era como porões úmidos e lotados, com histórias em quadrinhos semipornográficas, com obscenidades usadas como bordão. Eram mulheres forçadas a ficar em uma cidade-prisão, corrompidas antes pela miséria e agora pelo dinheiro, sem interrupção. Ao vê-las e ouvi-las, percebi que estava ficando impaciente. Elas se comportavam diante daquele homem da maneira como meu pai imaginava que as mulheres se comportavam, da maneira como ele imaginava que a própria esposa se comportava assim que ele dava as costas, da maneira como também Amalia talvez tivesse sonhado se comportar durante toda a vida: uma mulher do mundo que se curva sem ser obrigada a pressionar dois dedos no centro do decote, que cruza as pernas sem prestar atenção na saia, que ri vulgarmente, que se cobre de objetos preciosos, que se derrama, de corpo inteiro, em ofertas sexuais contínuas e indiscriminadas, competindo abertamente com os homens na arena das obscenidades.

Não me contive e fiz uma careta mal-humorada. Falei:

— É da minha altura, apenas com alguns cabelos brancos. Mas o penteado é antiquado, ninguém se penteia mais daquele jeito. Veio acompanhada de um homem de uns setenta anos, porém bem-apessoado, magro, com uma vasta cabeleira toda branca. Um belo casal... Deve se lembrar deles, compraram tudo isso.

A vendedora balançou a cabeça. Não se lembrava.

— Passa muita gente aqui — insistiu ela. Depois olhou para o leão de chácara, preocupada com o tempo que estava perdendo, e me sugeriu: — Experimente. Parecem ser do seu tamanho. Se o vestido está justo...

— Eu gostaria de falar com aquele senhor... — arrisquei.

A vendedora me empurrou em direção a uma cabine, angustiada por aquele pedido recém-esboçado.

— Se não tem certeza em relação às calcinhas, escolha outro modelo... Faremos um desconto — propôs.

E então me vi dentro de um cubículo cheio de espelhos retangulares.

Suspirei, cansada, e tirei o vestido do funeral. Eu tolerava cada vez menos a tagarelice frenética das clientes, que, ali dentro, ao invés de atenuada, parecia amplificada. Depois de um segundo de incerteza, tirei também a calcinha da minha mãe que eu vestira na noite anterior e pus a de renda que havia encontrado na bolsa de Amalia. Era exatamente do meu tamanho. Perplexa, passei um dedo ao longo do rasgo no quadril que minha mãe provavelmente havia causado ao vesti-la e, depois, enfiei pela cabeça o vestido cor de ferrugem. Ficava cinco centímetros acima dos meus joelhos e era decotado demais. Mas não estava nem um pouco justo; pelo contrário, deslizava pela minha tensa e musculosa magreza, suavizando-a. Saí da cabine puxando o vestido para o lado, olhando para a batata da perna e dizendo em voz alta:

— Olha só. Como você pode ver, o vestido está justo aqui do lado... E também é curto demais.

Ao lado da jovem vendedora, porém, estava o tal homem, um sujeito de uns quarenta anos com bigodes pretos, pelo menos vinte centímetros mais alto do que eu, costas e tórax largos. Tinha traços e corpo inchados, ameaçadores; só que o olhar não era antipático, mas vivaz, familiar. Em um italiano digno da televisão, mas sem gentileza, sem sombra da consenciente cumplicidade que demonstrava com as outras clientes e com visível dificuldade para me tratar com formalidade, disse:

— Ficou muito bem na senhora, não está nem um pouco apertado. O modelo é assim mesmo.

— É justamente o modelo que não me convence muito. Foi minha mãe que o escolheu sem mim e...

— Fez uma ótima escolha. Fique com o seu vestido e aproveite.

Observei-o por um segundo, em silêncio. Senti que queria fazer algo contra ele ou contra mim mesma. Dei uma olhada nas outras clientes. Ergui o vestido até os quadris e me virei para um dos espelhos.

— Olhe a calcinha — falei, apontando para o espelho —, está apertada.

O homem não mudou de expressão nem de tom.

— Bem, não sei o que dizer, a senhora nem tem a notinha — disse ele.

Olhei minhas pernas magras e nuas no espelho: puxei o vestido para baixo, sem graça. Recolhi o vestido velho e as calcinhas, enfiei tudo na sacola e procurei no fundo a capinha de plástico com a identidade de Amalia.

— O senhor deve se lembrar da minha mãe — tentei novamente, pegando o documento e o abrindo diante de seus olhos.

O homem deu uma olhada rápida e pareceu perder a paciência. Passou para o dialeto.

— Minha cara senhora, aqui não podemos perder tempo — disse e me devolveu o documento.

— Só estou pedindo...

— Não trocamos mercadoria vendida.

— Só estou pedindo...

Ele avançou para um leve toque no meu ombro.

— Você está brincando? Veio aqui para brincar?

— Não ouse tocar em mim...

— Não, você só pode estar brincando... Vamos, pegue suas coisas e sua carteira de identidade. Quem mandou você? O que você quer? Diga a quem mandou você aqui para vir se entender comigo pessoalmente. Depois a gente vê como fica! Aliás, este é o meu cartão de visita: Antonio Polledro, nome, endereço e número de telefone. Podem me encontrar aqui ou em casa. Está bem?

Era um tom que eu conhecia muito bem. Logo em seguida, começaria a me empurrar com mais força e, depois, a me bater sem levar em consideração se eu era homem ou mulher. Arranquei o documento das mãos dele com um desprezo calculado e, para entender o que o deixara tão nervoso, dei uma olhada na foto três por quatro da minha mãe. Os cabelos barrocamente arquitetados sobre a testa e em volta do rosto tinham sido minuciosamente raspados no papel. O branco que surgiu em volta da cabeça foi transformado com um lápis em um cinza nebuloso. Com o mesmo lápis, alguém havia endurecido ligeiramente os traços do rosto. A mulher da foto não era Amalia: era eu.

Saí arrastando minha bagagem pela rua. Percebi que ainda estava com a carteira de identidade na mão e a pus de volta na capinha de plástico, deixando mecanicamente o cartão de visita de Polledro lá dentro também. Joguei tudo na bolsa e olhei à minha volta, transtornada, mas contente pelo fato de tio Filippo realmente ter ficado me esperando na esquina.

Logo me arrependi. Ele arregalou os olhos e escancarou a boca, mostrando-me os poucos dentes compridos e amarelados pela nicotina. Estava perplexo, mas a reação estava se transformando rapidamente em contrariedade. Não consegui entender logo de cara o motivo. Depois percebi: era o vestido que eu estava usando. Esforcei-me para sorrir, certamente para aplacá-lo, mas também para me livrar da impressão de ter perdido o controle do meu rosto, de ter um rosto que era a adaptação do de Amalia.

— Não ficou bem em mim? — perguntei.

— Ficou — respondeu ele emburrado, claramente mentindo.

— E então?

— Enterramos sua mãe ontem — protestou um pouco alto demais.

Pensei em revelar, só para aborrecê-lo, que o vestido era justamente de Amalia, mas consegui, a tempo, prever que seria eu a ficar aborrecida: ele certamente recomeçaria a falar mal da irmã.

— Eu estava abatida demais e quis me dar um presente — disse-lhe.

— Vocês, mulheres, se deixam abater muito facilmente — desabafou, esquecendo, com aquele "muito facilmente", o que havia acabado de me lembrar: de que tínhamos, havia pouco tempo, enterrado minha mãe, e que eu tinha um bom motivo para estar abatida.

Por outro lado, eu não estava nem um pouco abatida. Estava sentindo como se eu tivesse me deixado em um lugar e não conseguisse mais me achar: eu estava afoita, ou seja, com os movimentos rápidos demais e pouco coordenados, a pressa de quem revista tudo e não tem tempo a perder. Pensei que um chá de camomila me faria bem e empurrei tio Filippo para dentro do primeiro bar que encontramos na Via Scarlatti, enquanto ele começava a falar da sua mulher, que, justamente, vivia triste: austera, muito trabalhadora, cuidadosa, organizada, mas triste. No entanto, aquele lugar fechado teve o efeito de um chumaço de algodão enfiado na minha boca. O cheiro intenso de café e as vozes altas demais dos clientes e atendentes me impeliram de volta para a saída enquanto meu tio já gritava, com a mão no bolso interno do paletó:

— Eu pago!

Sentei-me a uma mesa na calçada, em meio ao guincho de freios, ao cheiro de chuva iminente e de gasolina, aos ônibus superlotados a passo de tartaruga e às pessoas que passavam correndo, esbarrando na mesinha.

— Eu pago — repetiu tio Filippo mais baixo, embora ainda nem tivéssemos feito o pedido e eu duvidasse que um garçom fosse aparecer em algum momento.

Depois aprumou-se na cadeira e começou a elogiar a si mesmo:

— Sempre tive um caráter enérgico. Sem dinheiro? Sem dinheiro. Sem braço? Sem braço. Sem mulheres? Sem mulheres. O essencial são a boca e as pernas: para falar quando tiver vontade e para ir aonde quiser. Tenho razão ou não?

— Tem.

— Sua mãe também é assim. Somos uma raça que não desanima. Quando pequena, ela vivia se machucando, mas não chorava. Mamãe havia nos ensinado a assoprar a ferida e a repetir: "Vai passar." Mesmo quando, trabalhando, se furava com a agulha, ela manteve o costume de dizer "vai passar". Uma vez, a agulha da Singer perfurou a unha do seu indicador e saiu do outro lado, subindo e entrando de novo três ou quatro vezes. Bem, ela bloqueou o pedal e, em seguida, deixou-o subir apenas o suficiente para extrair a agulha, enfaixou o dedo e voltou a trabalhar. Nunca a vi triste.

Foi tudo o que escutei. Parecia que eu estava afundando até a nuca na vitrine atrás de mim. Até o vermelho da parede da loja Upim na minha frente parecia tinta fresca, recém-aplicada. Deixei que os ruídos da Via Scarlatti se tornassem altos a ponto de abafar a voz do meu tio. Vi seus lábios se mexendo, de perfil, sem som: pareciam de borracha, movidos por dois dedos pelo lado de dentro. Ele tinha setenta anos e nenhum motivo para estar satisfeito consigo mesmo, mas fazia um esforço para tal, e talvez realmente ficasse quando começava aquela tagarelice incessante que os movimentos imperceptíveis dos lábios articulavam velozmente. Por um instante, pensei horrorizada nos homens e mulheres como organismos vivos, e imaginei um buril nos polindo como silhuetas de marfim, reduzindo-nos até ficarmos sem furos e sem excrescências, todos idênticos e sem identidade, nenhum conjunto de características somáticas, nenhuma calibragem das pequenas diferenças.

O dedo ferido da minha mãe, furado pela agulha quando ela não tinha nem dez anos, era mais familiar a mim do que meus próprios dedos, graças justamente àquele detalhe. Era roxo, e a unha parecia afundar na altura da cutícula. Quis durante muito tempo lambê-lo e chupá-lo, mais do que os seus mamilos. Talvez ela tenha deixado quando eu ainda era muito pequena, sem se esquivar. Na ponta do dedo, havia uma cicatriz branca: a ferida infeccionara, fora lancetada. Eu sentia ali em volta o cheiro da velha Singer, com aquele formato de animal elegante, meio cão meio gato, o cheiro da correia de couro puída que transmitia o movimento do pedal do volante grande até o pequeno, a agulha que subia e descia pelo focinho do animal, o fio que corria pelas suas narinas e orelhas, o carretel que girava no perno fincado em seu dorso. Sentia o sabor do óleo usado para lubrificá-la, a pasta negra de graxa misturada à poeira que eu raspava com a unha e comia escondida. Eu planejava furar minha unha também para que ela entendesse que era perigoso se recusar a me dar o que eu não tinha.

Havia histórias demais sobre as diferenças infinitas e minúsculas que a tornavam inatingível, e que, juntas, faziam de Amália um ser desejado no mundo exterior com pelo menos a mesma intensidade com que eu a desejava. Houve um tempo em que imaginei arrancar com uma mordida aquele seu dedo excepcional porque eu não tinha coragem de oferecer o meu próprio à boca da Singer. Tudo dela que não me fora concedido eu queria apagar do seu corpo. Assim nada mais seria perdido ou dispersado longe de mim, porque finalmente tudo já teria sido perdido.

Agora que estava morta, alguém havia raspado seus cabelos e deformado seu rosto para adaptá-lo ao meu corpo. Aquilo acontecia depois de eu ter desejado eliminar, durante anos, por ódio, por medo, todas as minhas raízes vindas dela, até as mais profundas: seus gestos, suas entonações, a maneira de pegar um copo ou de beber de uma xícara, o jeito de vestir uma saia como se fosse um vestido, a ordem dos objetos na cozinha, nas gavetas, o modo de lavar as partes mais íntimas, os gostos alimentares, as repulsas, os entusiasmos, e, enfim, o idioma, a cidade, os ritmos da respiração. Tudo refeito, para que eu pudesse me tornar eu mesma e me desligar dela.

Por outro lado, eu não quis ou não consegui enraizar ninguém em mim. Mais algum tempo e perderei até a possibilidade de ter filhos. Nenhum ser humano jamais se desligaria de mim com a mesma angústia com que me desliguei da minha mãe apenas porque nunca consegui me apegar a ela definitivamente. Não haveria nenhum mais ou nenhum menos entre mim e outro ser feito de mim. Eu permaneceria sendo eu até o final, infeliz, insatisfeita com aquilo que arrastara furtivamente para fora do corpo de Amalia. Pouco, demasiadamente pouco, o butim que eu conseguira tomar, arrancando-o do seu sangue, do seu ventre e do seu fôlego para esconder no meu corpo, na matéria caprichosa do meu cérebro. Insuficiente. Que maquiagem ingênua e descuidada tinha sido essa tentativa de definir o "eu" como essa fuga forçada de um corpo de mulher, embora eu tivesse levado comigo menos do que nada! Eu não era nenhum eu. E estava confusa: não sabia se o que eu estava descobrindo e contando para mim mesma, agora que ela não existia mais e não podia retrucar, me causava mais horror ou prazer.

Talvez eu tenha voltado a mim por causa da chuva no rosto. Ou porque tio Filippo, de pé ao meu lado, me sacudia pelo braço com sua única mão. O fato é que senti uma espécie de descarga elétrica e me dei conta de que havia adormecido.

— Está chovendo — balbuciei enquanto meu tio continuava a me sacudir furiosamente.

Berrava, apoplético, mas eu não conseguia entender o que dizia. Estava me sentindo fraca e assustada, não conseguia me levantar. As pessoas chegavam correndo em busca de abrigo. Os homens gritavam ou davam gargalhadas e, apressados, esbarravam perigosamente na mesinha. Fiquei com medo de que me derrubassem. Um deles atirou a um metro de distância a cadeira que pouco antes estivera ocupada por tio Filippo.

— Que tempo maravilhoso! — disse e entrou no bar.

Tentei me levantar, achando que meu tio quisesse me puxar para cima. Mas ele largou meu braço, cambaleou em meio às pessoas e correu gritando insultos mirabolantes na beirada da calçada, indicando com o braço estendido o outro lado da rua, atrás dos carros e ônibus engarrafados sobre os quais a chuva tamborilava.

Levantei-me arrastando a sacola e a bolsa. Queria ver com quem ele estava tão furioso, mas o tráfego criava um muro compacto de latarias, e a chuva caía cada vez mais forte. Deslizei, então, ao longo da parede do edifício para evitar me molhar e ao mesmo tempo encontrar uma brecha entre os ônibus e os carros parados. Quando consegui, vi Caserta na mancha vermelha da Upim. Andava quase totalmente recurvado, mas depressa, virando-se o tempo todo para trás como se temesse estar sendo perseguido. Esbarrava nos transeuntes, mas parecia nem se dar conta e não diminuía o passo: curvo, com os braços balançando, a cada encontrão dava uma pirueta, mas não parava, como uma silhueta presa a um eixo que, graças a um mecanismo secreto, deslizava depressa pela calçada. De longe, parecia que estava cantando e dançando, mas talvez estivesse apenas praguejando, gesticulando.

Comecei a apertar o passo para não perdê-lo de vista, mas, como todos os pedestres estavam amontoados nos portões, nos átrios das lojas ou sob cornijas e sacadas, para me mexer com mais velocidade fui obrigada a abandonar qualquer tentativa de abrigo e ficar descoberta, sob a chuva. Vi Caserta saltar para desviar de plantas e vasos de flores expostos por um florista na calçada. Não conseguiu, tropeçou, acabou batendo no tronco de uma árvore. Parou um instante como se estivesse colado à casca, depois se afastou e voltou a correr. Temia sabe-se lá o quê. Imaginei que tivesse visto meu tio e fugido. Talvez os dois velhos estivessem reproduzindo, como que por brincadeira, uma cena já vivida quando jovens: um seguia, o outro fugia. Pensei que fossem brigar na calçada molhada, tombando ora para um lado, ora para o outro. Eu não sabia bem como reagiria, o que teria feito.

No cruzamento da Via Scarlatti com a Via Luca Giordano, percebi que o havia perdido. Procurei por tio Filippo, mas também não o vi. Então, atravessei a Via Scarlatti, que havia se tornado um longo ponto de interrogação de veículos parados, até a Piazza Vanvitelli, e comecei a voltar correndo pela outra calçada até a primeira transversal. Estava trovoando sem raios visíveis, e as trovoadas soavam como rasgos em um tecido. Vi Caserta no final da Via Merliani, chicoteado pela chuva sob o metal azul e vermelho de um grande letreiro, encostado no muro branco do parque de Villa Floridiana. Corri atrás dele, mas um jovem saiu bruscamente do abrigo de um portão, agarrou meu braço, rindo, e disse em dialeto:

— Por que tanta pressa? Venha aqui que eu enxugo você.

O tranco foi tão forte que senti dor na clavícula e escorreguei com a perna esquerda. Só não caí porque bati em uma caçamba de lixo. Recobrei o equilíbrio e me libertei com força, gritando, para minha própria surpresa, insultos em dialeto. Quando eu também cheguei ao muro do parque, Caserta estava quase no fim da rua, a poucos metros da estação do funicular em restauração.

Parei com o coração na boca. Ele avançava, sem correr, ao longo da fila de plátanos, entre os carros estacionados à direita. Andava com dificuldade, sempre curvo, com uma resistência nas pernas surpreendente para um homem daquela idade. Quando parecia não aguentar mais, apoiou-se ofegante nos tapumes de um canteiro de obras. Eu o vi se contorcer; naquela posição, parecia que, da sua cabeça branca, estivesse saindo o andaime em que estava preso o cartaz: "Obras de demolição e reconstrução da estação de Piazza Vanvitelli — Funicular de Chiaia." Eu tinha certeza de que ele não teria mais forças para sair dali, então algo voltou a alarmá-lo. O homem bateu com as costas na parede de tapumes da obra como se quisesse derrubá-la e escapar através da fenda. Olhei para a esquerda a fim de ver quem o assustava tanto: esperava que fosse meu tio. Não era. Sob a chuva, saindo da Via Bernini, vinha correndo Polledro, o homem da loja Vossi. Gritava algo para ele, ora gesticulando para que parasse, ora apontando na sua direção de maneira ameaçadora, com a mão toda aberta.

Caserta saltitou de um pé para outro, olhando à sua volta em busca de uma via de escape. Parecia ter decidido voltar pela Via Cimarosa, mas me viu. Então parou de se agitar, arrumou os cabelos branquíssimos e, de repente, pareceu pronto a enfrentar tanto Polledro quanto a mim. Deslizou com as costas ao longo dos tapumes da obra, depois em um carro estacionado. Também voltei a correr só para ver Polledro se movimentar como se estivesse patinando sobre o cinza metálico do calçamento, uma figura maciça, porém ágil, contra o andaime de barras de ferro amarelas na entrada da Piazza Vanvitelli. Foi quando meu tio reapareceu. Despontou de uma lanchonete onde devia ter buscado abrigo. Vira-me chegar e estava correndo na minha direção empertigado, com passinhos velozes sob a chuva. O homem da Vossi surgiu na frente dele de repente, e os dois acabaram se chocando. Depois da trombada, abraçaram-se, tentando ajudar-se a ficar em pé e, então, giraram juntos em busca de um ponto de equilíbrio. Caserta aproveitou para mergulhar na luz branca da Via Sanfelice, sob uma chuva cintilante, em meio à multidão que procurava abrigo na entrada do funicular.

Eu reuni o pouco de energia que me restava e corri atrás dele, em um ambiente abafado pela respiração das pessoas, enlameado de chuva, cinzento de cal. O funicular estava prestes a partir, e os passageiros empurravam uns aos outros na direção das máquinas de validação dos bilhetes. Caserta já estava mais à frente e descia os degraus, mas parava com frequência, esticando o pescoço a fim de olhar para trás e, depois, aproximando de repente o rosto avermelhado de quem estivesse caminhando ao seu lado para sussurrar alguma coisa. Ou então falava sozinho, mas com uma voz que se esforçava para manter baixa, agitando o braço direito para cima e para baixo com três dedos bem esticados e o polegar e o indicador unidos. Por alguns segundos, esperava inutilmente uma resposta. Em seguida, recomeçava a descer.

Comprei o bilhete e também me precipitei para os dois vagões amarelos e luminosos. Não consegui ver em qual dos dois ele havia entrado. Segui até a metade do segundo vagão sem conseguir rastreá-lo, depois decidi entrar tentando abrir passagem pela multidão. O ar estava pesado e com um odor de suor e tecido molhado. Olhei à minha volta, em busca de Caserta. Vi, porém, Polledro, que descia os degraus de dois em dois, seguido por meu tio, que gritava sei lá o que para ele. Só tiveram tempo de entrar no primeiro vagão antes de as portas se fecharem. Poucos segundos depois, eles apareceram atrás do vidro retangular que dava para o meu vagão: o homem da loja Vossi olhava em volta, furioso, e meu tio o puxava pelo braço. O funicular partiu.

14

Eram veículos novos, bem diferentes daqueles em serviço quando eu era menina. A única semelhança era o formato de paralelepípedo, que parecia ter sido formado através de um violento choque frontal que projetou para trás toda a sua estrutura. Mas, quando o funicular começou a descer pelo poço oblíquo à sua frente, reapareceram os rangidos, as vibrações e os trancos. Apesar disso, os vagões deslizavam pelo declive pendurados aos cabos de aço com uma velocidade que pouco tinha a ver com a tranquila lentidão pontuada por baques e solavancos de antigamente. Pareceu-me que o veículo havia se transformado de uma sonda circunspecta no ventre da colina em uma brutal injeção na veia. E, incomodada, senti que isso esmaecia a lembrança das viagens agradáveis com Amalia, de quando ela já não costurava luvas e me levava junto para entregar às clientes abastadas do Vomero as roupas que havia feito para elas. Minha mãe se arrumava e se embelezava para não parecer menos madame do que as mulheres para quem trabalhava. Eu, por outro lado, era magra e suja, ou pelo menos era assim que me sentia. Ficava sentada ao lado dela no banco de madeira e carregava nos joelhos, cuidadosamente esticada para que não amassasse, a roupa na qual ela estava trabalhando ou que tinha acabado de terminar, enrolada em papel de embrulho preso nas extremidades com alfinetes. O pacote ficava apoiado nas minhas pernas e na minha barriga como um estojo no qual estavam guardados o cheiro e o calor da minha mãe. Eu o sentia em cada milímetro de pele tocado pelo papel. E aquele contato, à época, suscitava em mim uma melancólica languidez intercalada pelos solavancos do vagão.

Agora, porém, eu só tinha a impressão de perder altitude, como uma Alice envelhecida correndo atrás do Coelho Branco. Por isso, afastei-me da porta e me esforcei para chegar ao centro do carro. Eu estava na parte alta do vagão, no segundo compartimento. Tentei abrir caminho, mas os passageiros me encaravam com irritação, como se houvesse algo repugnante na minha aparência, e me empurravam com hostilidade. Avancei com dificuldade, depois desisti de me mexer e procurei Caserta com o olhar. Encontrei-o no fundo do último compartimento, em uma plataforma ampla. Estava atrás de uma garota de uns vinte anos com aparência bastante descuidada. Eu o via de perfil, assim como a moça. Parecia um senhor tranquilo, de uma velhice distinta, absorto na leitura do jornal cinza por causa da chuva. Segurava-o com a mão esquerda, dobrado em quatro, e, com a direita, apoiava-se no corrimão de metal polido. Mas logo percebi que, acompanhando as oscilações do vagão, se aproximava cada vez mais do corpo da moça. Estava com as costas arqueadas, as pernas um pouco abertas, a barriga apoiada sobre as nádegas dela. Não havia nada que justificasse aquele contato. Apesar da lotação, havia atrás dele espaço suficiente para que mantivesse a devida distância. Porém, quando a moça se virou com uma raiva mal contida e avançou um pouco para fugir dele, o velho não desistiu. Esperou alguns segundos antes de recuperar os centímetros perdidos, então encostou novamente o tecido das calças azul-escuras no jeans dela. Recebeu uma tímida cotovelada nas costelas, mas continuou impassível, fingindo ler, então pressionou com mais determinação a barriga contra ela.

Virei-me em busca do meu tio. Avistei-o no outro vagão, concentrado, boquiaberto. Polledro, ao seu lado, no meio da multidão, batia no vidro. Talvez estivesse tentando chamar a atenção de Caserta. Ou a minha. Não tinha mais o ar irritante que eu vira na loja. Parecia um rapaz humilhado e ansioso, obrigado a ficar atrás de uma janela assistindo a um espetáculo que o fazia sofrer. Desviei o olhar dele para Caserta, desorientada. Pareceu-me que tivessem a mesma boca, de um plástico vermelho, enrijecida pela tensão. Mas não consegui fixar aquela impressão. O funicular parou oscilando, e notei que a moça se dirigia para a saída quase correndo. Caserta, como se estivesse colado nela, a seguiu com as costas arqueadas e as pernas abertas, causando espanto e algumas risadas nervosas dos seus companheiros de viagem. A moça saltou do vagão. O velho hesitou um instante, se recompôs e ergueu o olhar. Achei que fosse por causa das batidas no vidro, a essa altura frenéticas, de Polledro. Porém, como se tivesse sabido o tempo todo o ponto exato no qual eu estava, logo me localizou no meio da multidão, que agora apontava para ele com murmúrios de desaprovação, e me dirigiu um olhar alegremente alusivo para me fazer entender que a pantomima à qual estava se dedicando tinha a ver comigo. Então saiu bruscamente do vagão como um ator rebelde que decidiu abandonar o roteiro.

Percebi que Polledro também procurava saltar. Tentei chegar até a porta também, mas eu estava longe da saída e fui repelida pelo fluxo de passageiros que entravam. O funicular voltou a se movimentar. Olhei para cima e percebi que o homem da loja Vossi também não havia conseguido descer. Mas tio Filippo, sim.

Nos rostos dos velhos, é difícil identificar as feições que eles tinham quando jovens. Às vezes, nem conseguimos pensar que tiveram uma juventude. Percebi, pouco antes, enquanto o funicular continuava sua descida, movimentando o olhar de Polledro para Caserta e vice-versa, que eu havia composto um terceiro homem que não era nem Caserta nem Polledro. Tratava-se de um homem jovem, de pele morena, cabelos negros, com um capote de lã de camelo. Aquele ectoplasma, que logo se dissipou, era o resultado de um deslocamento de traços somáticos, como se meu olhar tivesse causado uma confusão acidental entre as maçãs do rosto de Caserta e as do leão de chácara da loja Vossi, entre a boca de um e a do outro. Censurei-me. Eu havia feito coisas demais que não devia: começara a correr, me deixara levar pela ansiedade, exagerara no frenesi. Tentei me acalmar.

Poucos segundos depois, cheguei à estação de Chiaia, um bunker de cimento mal-iluminado. Preparei-me para descer, mas ainda não me sentia tranquila. Amalia, dentro da minha cabeça, estava observando aquela composição somática que eu imaginara pouco antes. Conformei-me. Ela estava ali parada, exigente, em um canto da velha estação de quarenta anos antes. Posicionei-a melhor ao fundo, como se estivesse trabalhando em um quebra-cabeça ainda não identificável nos detalhes: só os seus cabelos soltos, um perfil escuro diante de três silhuetas de madeira colorida que talvez tivessem estado ali pouco menos de um século atrás para fazer propaganda de roupas. Enquanto isso, saí do vagão, quase empurrada para os degraus pelos passageiros impacientes. Estava me sentindo gelada apesar do ar abafado, como o de uma estufa ou uma catacumba.

Agora Amalia havia definitivamente aparecido por inteiro, jovem e curvilínea, no átrio de uma estação que, feito ela, não existia mais. Parei a fim de que ela tivesse tempo de olhar encantada para as silhuetas: talvez um casal elegante com um pastor alemão na coleira. Sim, eram de papelão e de madeira, dois metros de altura, menos de um centímetro de espessura, com hastes que as sustentavam por trás. Recorri a detalhes escolhidos a esmo para colori-las e vesti-las. O homem, me parecia, estava de paletó e calça xadrez, capote de lã de camelo, uma das mãos enluvada segurando a outra luva, chapéu de feltro bem-ajustado na cabeça. A mulher talvez trajasse um tailleur escuro com uma longa echarpe azul-escura coberta por uma padronagem delicadamente colorida: na cabeça, usava um chapéu com plumas, e seus olhos eram profundos atrás do véu. O pastor alemão estava sentado sobre as patas traseiras, as orelhas em riste, junto às pernas do dono. Todos os três ostentavam um ar sadio e contente no átrio da estação, que, na época, era cinza e poeirenta, dividida em duas por uma grade preta. A poucos passos deles, vinham do alto grandes feixes de luz por entre as grades, que faziam brilhar o verde (ou o vermelho?) do funicular quando este saía deslizando lentamente do túnel na colina.

Comecei a descer os degraus rumo às barras da roleta. O resto aconteceu em um intervalo de tempo brevíssimo, mas extraordinariamente dilatado. Polledro agarrou desajeitadamente

minha mão, logo abaixo do pulso. Tive certeza de que era ele antes mesmo de me virar. Ouvi sua voz pedindo que eu parasse. Não parei. Ele disse que nos conhecíamos bem, que ele era o filho de Nicola Polledro. Depois acrescentou, caso aquela informação não fosse suficiente para me deter:
— O filho de Caserta.
Parei. Deixei que Amalia também parasse diante daquelas silhuetas com a boca entreaberta, os dentes brancos ligeiramente manchados de batom, incerta entre um comentário irônico e uma expressão de espanto. O casal de madeira e papelão se deixava admirar com distanciamento, no final dos degraus, à esquerda. Eu, que me sentia presente ao lado dela, embora não conseguisse me ver, achei que aqueles senhores na imagem fossem os donos do funicular. Gente vinda de longe: tão anormais, tão incongruentes, tão diferentes em seu mágico sortimento, que pareciam pertencer a outra nação. Devo tê-los considerado, quarenta anos antes, uma possibilidade de fuga, a prova de que existiam outros lugares para os quais nós, eu e Amalia, podíamos ir quando quiséssemos. Pensei, sem dúvida, que minha mãe, tão concentrada, também estivesse estudando uma maneira de fugir comigo. Mas, depois, tive a suspeita de que ela estava ali por outros motivos: talvez só para observar as roupas e a postura da mulher. Provavelmente queria copiá-las em seus trabalhos de costura. Ou aprender a se vestir daquela maneira, e a ficar parada com aquela desenvoltura, à espera do funicular. Senti com sofrimento, muitas décadas mais tarde, que ali, naquele canto daquela estação, eu não conseguira de maneira alguma pensar como se estivesse dentro dela, dentro da sua respiração. Sua voz, já naquela época, só podia me dizer: faça isso, faça aquilo; mas

eu não podia mais ser parte da cavidade que concebia aqueles sons e estabelecia quais deveriam ressoar no mundo externo e quais deveriam permanecer sons sem som. Isso me doeu.

A voz de Polledro foi como um safanão naquela dor. O átrio de quarenta anos antes estremeceu. As silhuetas se revelaram poeira colorida e se dissolveram. Depois de tantos anos, roupas e poses daquele tipo haviam desaparecido do mundo. O casal foi removido, junto com o cachorro, como se, depois de ter esperado inutilmente, tivesse ficado irritado e decidido voltar para seu castelo sabe-se lá onde. Tive dificuldade em manter Amalia parada diante daquele vazio. Além do mais, um instante antes de Polledro parar de falar, percebi que eu havia feito confusão, que o tailleur escuro e a echarpe da mulher de papelão não eram seus, mas da minha mãe. Fora Amalia quem se vestira daquela maneira elegante muito tempo atrás para um compromisso importante. Com a boca entreaberta, os dentes ligeiramente manchados de batom, não estava observando as silhuetas, mas ele, o homem com o capote de lã de camelo. E o homem falava, e ela respondia, e ele voltava a falar, mas eu não entendia o que estavam dizendo.

Polledro se dirigia a mim em tom agradável para me obrigar a escutar. Eu o observava, encantada, mas não conseguia prestar atenção. Sob as feições bem nutridas, via-se o rosto do pai quando jovem, e isso estava me ajudando, sem querer, a contar a mim mesma a história de Caserta, que encontrara minha mãe no espaço destruído da estação de Chiaia. Balancei a cabeça, e Polledro deve ter pensado que eu não acreditava nele. Na verdade, eu não confiava em mim mesma. Ele disse mais uma vez:

— Sou eu, Antonio, o filho de Caserta.

Eu estava me dando conta de que, daquelas figuras de madeira e papelão, eu guardava apenas uma impressão de terras estrangeiras e de promessas não cumpridas. Brilhavam como sapatos engraxados, mas sem detalhes. Talvez fossem silhuetas de uma propaganda de dois homens, ou de duas mulheres, não fazia diferença; talvez não houvesse cão algum; talvez tivessem grama embaixo dos pés ou então um calçamento; e eu nem lembrava o que anunciavam. Não sabia mais. Os detalhes que eu havia desenterrado — agora eu tinha certeza — não pertenciam a eles: eram apenas o resultado de uma montagem desordenada de roupas e gestos. De nítido, agora, havia apenas aquele belo rosto jovem, moreno, de cabelos negros, um desmoronamento das feições de Polledro filho sobre uma sombra que havia sido Polledro pai. Caserta falava gentilmente com Amalia, segurando pela mão o filho Antonio, que tinha exatamente a minha idade; e minha mãe me segurava, certamente sem perceber minha mão na sua. Eu reconhecia a boca de Caserta, que se mexia rapidamente, e via a língua dele, vermelha, com o frênulo que a ancorava impedindo-a de saltar para cima de Amalia mais do que já o fazia. Percebi que, na minha cabeça, o homem de papelão do funicular usava as roupas de Caserta e sua companheira as de minha mãe. O chapéu com plumas e véu havia viajado muito, proveniente de sabe-se lá qual festa de casamento, antes de pousar ali. Eu ignorava o destino da echarpe, mas sabia que ficara durante anos em torno do pescoço e sobre um ombro da minha mãe. Quanto ao tailleur, era o mesmo que — costurado, descosturado, virado do avesso — Amalia usava quando pegou o trem para ir me visitar em Roma e festejar o meu aniversário. Quantas coisas atravessam o tempo destacando-se, fortuitamente, dos corpos e das vozes das pessoas. Minha mãe conhecia a arte de fazer com que as roupas durassem eternamente.

Surpreendendo-o com um tom sociável que ele não esperava depois de tanta resistência muda, eu finalmente disse a Polledro:

— Lembro perfeitamente. Você é o Antonio. Como é que não o reconheci logo? Seus olhos continuam iguais.

Sorri para mostrar que eu não era hostil, mas também para entender se ele sentia hostilidade em relação a mim. Ele me observou, perplexo. Notei que estava prestes a se inclinar e beijar meu rosto, mas depois desistiu, como se algo em mim lhe causasse repulsa.

— O que foi? — perguntei ao homem da Vossi que, naquele instante, dissolvida a tensão da primeira abordagem, me olhava com uma leve ironia. — Não está mais gostando do meu vestido?

Depois de um instante de incerteza, Polledro se decidiu. Riu e me disse:

— Olhe o estado em que você está. Já se olhou no espelho? Venha, não pode andar assim por aí.

Polledro me empurrou em direção à saída e, depois, correndo, rumo ao ponto de táxi. Sob a marquise do metrô, amontoavam-se as pessoas surpreendidas pela chuva. O céu estava negro e o vento soprava forte, empurrando obliquamente uma cortina d'água fina e densa. Ele me obrigou a entrar em um táxi que fedia a cigarro. Falava com rapidez e segurança, sem me deixar espaço, como se estivesse convencido de que eu estava muito interessada no que tinha a dizer. Mas eu mal o escutava, não conseguia me concentrar. Tinha a impressão de que ele estava falando sem objetivo, com uma desenvoltura freneticamente exibida que servia somente para conter sua ansiedade. Não queria que me contagiasse.

Com certa solenidade, pediu desculpas em nome do pai. Disse que não sabia o que fazer: a velhice arruinara definitivamente seu cérebro. Mas logo me garantiu que o velho não era perigoso nem mau. Era incontrolável, isso sim: tinha um corpo sadio e resistente, vivia andando por aí, era impossível detê-lo. Quando conseguia afanar dinheiro suficiente dele, desaparecia por meses. Começou bruscamente a listar as funcionárias da loja que foi obrigado a demitir por terem sido corrompidas ou ludibriadas pelo pai.

Enquanto Polledro falava, senti o cheiro dele: não o cheiro verdadeiro, encoberto pelo fedor de suor e cigarro que dominava o táxi, mas um cheiro inventado a partir daquele da loja de doces e temperos onde brincamos juntos tantas vezes. A loja pertencia ao avô dele e ficava a poucas quadras do edifício onde meus pais moravam. O letreiro era de madeira azul e, nas laterais da palavra "Coloniali", havia uma palmeira e uma mulher negra com lábios muito vermelhos. Fora pintado por meu pai aos vinte anos. Ele também havia pintado o balcão da loja de uma cor que se chamava "Terra Queimada de Siena", usada para retratar o deserto, e nele pôs muitas palmeiras, dois camelos, um homem com traje de safári e botas, cascatas de café, dançarinas africanas, um céu azul ultramarino e uma lua minguante. Era fácil chegar diante daquela paisagem. As crianças viviam pela rua, sem supervisão: eu me afastava do pátio de casa, virava a esquina, empurrava a porta, que era de madeira, mas com a metade superior de vidro e uma barra metálica que a atravessava na diagonal, e logo a campainha soava. Então eu entrava, e a porta se fechava. Sua lateral era forrada de tecido ou talvez fosse coberta de borracha para impedi-la de bater e fazer barulho. O ar cheirava a canela e creme. Na entrada, havia duas sacas com as abas enroladas, cheias de café. No alto, sobre o mármore do balcão, alguns recipientes de vidro com desenhos em relevo deixavam à mostra amêndoas açucaradas brancas, azuis e cor-de-rosa; caramelos de leite; bolinhas multicoloridas de açúcar que derretiam na boca, derramando na língua um líquido doce; alcaçuz em bastões negros, em cordões soltos ou enrolados, em formato de peixe ou de barquinho. Enquanto o táxi combatia o vento, a chuva, as ruas alagadas, o tráfego, eu não conseguia conciliar o asco pela língua vermelha de Caserta, pelas brincadeiras assustadoras com o menino Antonio, pela violência e o sangue que delas derivaram, com aquele hálito lânguido que Polledro havia conservado em sua respiração.

Agora estava tentando justificar o pai. Às vezes — dizia —, ele incomodava um pouco as pessoas, mas era só ter paciência: sem paciência, viver naquela cidade se tornava difícil. Especialmente porque o velho não causava grande dano. O maior dano não era causado ao próximo, mas à loja Vossi quando incomodava as clientes. Era então que fazia o sangue de Antonio subir aos olhos e, se por acaso pusesse as mãos nele, poderia facilmente esquecer que se tratava do próprio pai. Perguntou-me se Caserta havia me incomodado. Era possível que ele não tivesse percebido que eu era a filha de Amalia? Antonio levou alguns minutos, o tempo necessário para reunir os pensamentos: eu não podia saber o prazer que ele sentia em me reencontrar. Correra atrás de mim, mas eu já havia desaparecido. Tinha visto o pai, em vez disso, e perdeu as estribeiras. Não, eu não podia entender. Ele estava pondo em risco o presente e o futuro da loja Vossi. Eu acreditaria se ele dissesse que não tinha um minuto de sossego? O pai não percebia o investimento econômico e emocional que ele fizera naquela empresa. Não, não percebia. Atormentava-o pedindo dinheiro o tempo todo, ameaçava-o noite e dia pelo telefone, importunava as clientes de propósito. Por outro lado, eu não devia pensar que ele se comportava sempre como eu vira no funicular. Quando necessário, o velho sabia ter boas maneiras, ser um verdadeiro cavalheiro, por isso as mulheres lhe davam trela. Depois, se mudava de tom, começavam os problemas. Polledro perdia muito dinheiro por causa do pai, mas o que podia fazer? Matá-lo?

Eu dizia, sem empenho: sim, claro, não, como não. Estava sem graça. Meu vestido estava ensopado. Tinha me olhado de relance no retrovisor do táxi e percebido que a chuva derretera a máscara da maquiagem. Minha pele parecia um terreno granuloso e desbotado, atravessado por filetes preto-azulados de rímel. Eu estava com frio. Teria preferido voltar para a casa do meu tio, descobrir o que havia acontecido com ele, me tranquilizar, tomar um banho quente, me deitar. Mas aquele corpo maciço ao meu lado, inchado de alimentos, bebidas, preocupações e rancor, que carregava sepultado dentro de si um menino que cheirava a cravo-da-índia, mil-flores e noz-moscada, com quem eu havia brincado secretamente na infância, me intrigava mais do que as palavras que ele articulava. Não podia me contar nada que eu já não tivesse contado para mim mesma. Eu não contava com isso. Porém, ver aquelas suas mãos enormes, largas e grossas e lembrar as que ele tivera quando criança, sentir que eram as mesmas embora não guardassem nenhum sinal daquele tempo, impedia-me até de perguntar aonde estávamos indo. Ao lado dele, eu me sentia miniaturizada, com um olhar e uma estatura que não me pertenciam havia muito tempo. Eu margeava o deserto pintado ao longo do balcão do bar-armazém, afastava uma cortina negra e entrava em outro ambiente, onde as palavras de Polledro não chegavam. Ali estava seu avô, o pai de Caserta, cor de bronze, calvo, mas com o crânio escuro, o branco dos olhos avermelhado, o rosto longo, poucos dentes na boca. Em torno dele, apinhavam-se máquinas misteriosas. Com uma delas, de forma alongada, celeste, atravessada por uma barra cintilante, fabricava sorvetes. Com outra, batia um creme amarelo em uma tigela, dentro da qual girava um braço mecânico. No fundo, havia um forno elétrico com três compartimentos, orifícios escuros quando estava desligado, botões pretos. E, atrás de um balcão de mármore, o avô de Antonio, taciturno, sem palavras, apertava com grande habilidade um funil de tecido de cuja boca dentada saía creme. O creme se estendia sobre docinhos e em volta de bolos, deixando um belo rastro ondulado. Ele me ignorava ao trabalhar. Eu me sentia agradavelmente invisível. Enfiava um dedo na tigela de creme, comia um docinho, pegava uma fruta cristalizada, afanava amêndoas açucaradas cor de prata. Ele nem pestanejava. Até que aparecia Antonio, ele acenava para mim e abria, atrás do avô, a portinha do porão. Dali, daquele lugar de aranhas e mofo, muitas vezes surgiam, cem vezes seguidas e em poucos segundos, Caserta trajando um capote de lã de camelo e Amalia de tailleur escuro, algumas vezes usando o chapéu com véu, outras vezes, não. Eu os via e tentava fechar os olhos.

— Meu pai só ficou bem neste último ano — disse Polledro com um tom de quem se prepara para exagerar a fim de conquistar um pouco da benevolência do ouvinte. — Amalia demonstrou a ele uma gentileza e uma compreensão que eu jamais teria esperado.

Era verdade — prosseguiu ele, mudando de tom — que o velho lhe roubara muito dinheiro para se vestir como um almofadinha e fazer bonito para a minha mãe. Mas Polledro não se queixava disso. Seu pai tinha aprontado coisa pior. E temia que ele logo se metesse em alguma encrenca ainda maior. Não, tinha sido um verdadeiro azar: Amalia não deveria ter feito o que fez. Afogar-se. Por quê? Que pena, que pena. A morte dela havia sido uma desgraça terrível.

Àquela altura, Polledro parecia arrebatado pela memória da minha mãe e começou a se desculpar por não ter ido ao funeral, por não ter me dado os pêsames.

— Era uma mulher excepcional — repetiu várias vezes, embora, provavelmente, nunca tivessem se falado. Depois me perguntou: — Você sabia que ela e meu pai estavam se encontrando?

Eu disse que sim, olhando pela janela. Eles estavam se encontrando. E me vi na cama da minha mãe enquanto observava, estupefata, minha própria vagina com um espelhinho. Estavam se encontrando: Amalia me observara, incerta, depois fechara novamente, sem pressa, a porta do quarto.

Agora o táxi seguia pela orla cinzenta e movimentada: um tráfego denso e veloz, golpeado pela chuva e pelo vento. O mar formava ondas altas. Quando menina, eu raramente havia visto uma tempestade tão imponente no golfo. Era semelhante aos ingênuos exageros pictóricos do meu pai. As ondas se erguiam escuras, com uma crista branca, e transpunham sem dificuldade a barreira dos rochedos, chegando às vezes a borrifar o calçamento. O espetáculo havia reunido grupos de curiosos que, sob selvas de guarda-chuvas, gritavam e apontavam para as cristas mais altas no momento em que elas arrebentavam em mil estilhaços depois das rochas.

— Sim, eu sabia — repeti com mais convicção.

Ele ficou calado por um instante, admirado. Depois começou a divagar sobre a própria vida: uma existência triste, o casamento se despedaçando, três filhos que ele não via fazia um ano, uma vida dura. Só agora estava se reerguendo. E estava se saindo bem. Eu? Havia me casado? Tinha filhos? Como não? Eu preferia viver livre e independente? Sorte a minha. Agora eu me arrumaria um pouco e nós jantaríamos juntos. Antes ele precisava ver alguns amigos, mas, se eu não me importasse, poderia acompanhá-lo. O tempo dele estava contado, mas, quando se tratava de negócios, era assim mesmo. Se eu tivesse paciência, depois poderíamos conversar um pouco.

— Você topa? — lembrou-se finalmente de me perguntar.

Sorri, esquecendo-me de como estava meu rosto, e saltei do táxi atrás dele, cega pela água e pelo vento e obrigada, pela mão que apertava meu braço, a caminhar depressa. Ele empurrou uma porta e me jogou à sua frente como uma refém, sem afrouxar a mão. Deparei-me com o saguão de um hotel de esplendor negligenciado, com uma opulência poeirenta e roída por traças. Apesar da madeira nobre e do veludo vermelho, o lugar me pareceu miserável: luzes fracas demais para um dia cinzento, um murmúrio intenso de vozes dialetais, o barulho de pratos e talheres proveniente do salão à esquerda, um vaivém de garçons que trocavam grosserias, um cheiro forte de cozinha.

— Moffa está? — perguntou Polledro em dialeto a um sujeito na recepção, que respondeu com um aceno irritado que queria dizer "é claro, está aqui há um tempo".

Polledro me deixou e foi apressadamente até a entrada do salão onde acontecia um banquete. O homem da recepção aproveitou para me lançar um olhar de nojo. Vi meu reflexo em um grande espelho vertical enquadrado por uma moldura dourada. Eu estava com o vestido de tecido fino colado ao corpo. Parecia mais magra e, ao mesmo tempo, mais musculosa. Meus cabelos estavam tão emplastados na cabeça que era como se estivessem pintados. Meu rosto parecia desfigurado por uma doença de pele grave, sujo de rímel em volta dos olhos e escamando ou manchado nas maçãs e nas bochechas. Exausta, carregava em uma das mãos a sacola de plástico na qual havia enfiado todas as coisas encontradas na maleta da minha mãe.

Polledro voltou, irritado. Entendi que estava atrasado por culpa do pai e talvez minha.

— Como vou fazer agora? — perguntou ele ao homem da recepção.

— Sente-se, coma e, quando o almoço tiver terminado, você fala com ele.

— Você não consegue arrumar um lugar para mim na mesa dele?

— Ficou maluco? — disse o homem.

E explicou ironicamente, com ar de quem diz coisas que até quem não é muito esperto está cansado de saber: na mesa do tal Moffa estavam os professores, o reitor, o prefeito, o secretário de cultura e as consortes. Era impensável um lugar naquela mesa.

Olhei para o meu amigo de infância: ele também estava molhado de chuva e desalinhado. Vi que ele correspondeu ao meu olhar com constrangimento. Estava agitado; apareciam e sumiam do seu rosto traços do menino do qual eu me lembrava. Senti pena dele e não fiquei contente por isso. Andei na direção da sala de jantar para permitir que ele brigasse com o homem da recepção sem se sentir obrigado a levar minha presença em consideração.

Apoiei-me no vidro que dava para o restaurante, tomando cuidado para não esbarrar nos garçons que entravam e saíam. As vozes altas e o tilintar dos talheres me pareceram de um volume insuportável. O evento era uma espécie de almoço inaugural, ou talvez de encerramento, de sabe-se lá qual congresso ou convenção. Havia pelo menos duzentas pessoas. Chamou minha atenção a disparidade evidente entre os comensais. Alguns estavam respeitáveis, absortos, sem graça, às vezes sendo irônicos, outras vezes cordatos; no geral estavam sobriamente elegantes. Outros, ruborizados, movendo-se agitados entre a comida e a conversa, haviam se enfeitado com tudo que podiam para deixar claro que gastavam rios de dinheiro com ostentação. Eram sobretudo as mulheres que sintetizavam as diferenças entre seus homens. Magrezas contidas em roupas finas, nutridas com muita parcimônia e iluminadas de maneira difusa por sorrisos corteses, sentavam-se ao lado de corpos transbordantes, apertados em roupas tão caras quanto chamativas, coloridos e luzentes de ouro e joias, biliosamente mudos, ou conversadores e sorridentes.

De onde eu estava era difícil entender quais vantagens, quais cumplicidades, quais ingenuidades teriam levado pessoas tão visivelmente diferentes à mesma mesa. Por outro lado, também não me interessava saber. Chamou minha atenção apenas o fato de a sala parecer um daqueles lugares para os quais, quando criança, eu imaginava que minha mãe fugia assim que saía de casa. Se, naquele momento, Amalia tivesse entrado com seu tailleur azul-marinho de décadas passadas, a echarpe delicadamente colorida e o chapéu com véu, de braços dados com Caserta em seu capote de lã de camelo, teria certamente cruzado vistosamente as pernas e lançado olhares cintilantes para a direita e para a esquerda com alegria. Era para festas cheias de comida e risadas como aquela que eu a mandava quando ela saía de casa sem mim e eu tinha certeza de que jamais voltaria. Eu inventava que ela estava coberta de ouro e de prata, que comia sem moderação. Tinha certeza de que, assim que saía de casa, tirava da boca uma longa língua vermelha. E eu chorava no quartinho de despejo, ao lado do quarto dela.

— Agora ele vai dar a chave a você — disse Polledro atrás de mim sem a gentileza de antes; aliás, grosseiramente. — Arrume--se um pouco e junte-se a mim naquela mesa ali.

Eu o vi atravessar a sala, aproximar-se de uma mesa comprida, cumprimentar com deferência um homem idoso que falava em voz muito alta com uma senhora bem-arrumada, respeitável, com os cabelos azulados e um penteado antiquado. O cumprimento foi ignorado. Polledro desviou o olhar, furioso, e foi se sentar, de costas para mim, em uma mesa na qual um homem gordo com um bigode muito negro e uma mulher muito maquiada, com o vestido tão justo que, quando ela se sentou, subiu demais acima dos joelhos, devoravam a comida em silêncio, constrangidos.

Não gostei de ele ter falado comigo daquela maneira. Era um tom de voz que dava ordens e não admitia réplicas. Pensei em atravessar o salão e dizer ao meu ex-companheiro de brincadeiras que estava indo embora. O que me freou foram o aspecto que eu sabia ter no momento e aquela expressão: companheiro de brincadeiras. Que brincadeiras? Eu fazia certas brincadeiras com ele só para ver se eu sabia brincar da mesma maneira que, na minha imaginação, Amalia brincava secretamente. Minha mãe pedalava o dia todo na Singer como uma ciclista em fuga. Em casa, vivia submissa e esquiva, escondendo os cabelos, as echarpes coloridas, as roupas. Mas eu suspeitava, exatamente como meu pai, que fora de casa ela ria de outra maneira, respirava de outra maneira, orquestrava os movimentos do corpo para deixar todos com os olhos arregalados. Virava a esquina e entrava na loja do avô de Antonio. Deslizava em volta do balcão, comia doces e amêndoas açucaradas, ziguezagueava sem se sujar entre balcões e formas. Depois chegava Caserta, abria a portinha de ferro, e eles desciam juntos para o porão. Ali minha mãe soltava os longuíssimos cabelos negros, e aquele movimento brusco enchia de centelhas o ar escuro que cheirava a terra e mofo. Então os dois se deitavam no chão, de bruços, e se arrastavam, rindo. O porão, na verdade, estendia-se como um espaço comprido e baixo. Só era possível avançar de quatro, entre restos de madeira e ferro, caixas e mais caixas cheias de velhas garrafas de molho de tomate, hálitos de morcegos e ruídos de ratos. Caserta e minha mãe se arrastavam, vigiando as grandes janelas de luz branca que se abriam a intervalos fixos à esquerda deles. Eram respiradouros atravessados por nove barras e gradeados por uma retícula que impedia a passagem dos ratos. De fora, as crianças olhavam para a escuridão e as poças de luz, imprimindo no nariz e na testa a marca da grade. Eles, por sua vez, lá de dentro, as vigiavam para ter certeza de que não estavam sendo vistos. Bem escondidos nas áreas mais escuras, tocavam reciprocamente entre as pernas um do outro. Eu, enquanto isso, me distraía para não chorar e, como o avô de Antonio não esboçava nenhuma proibição, mas esperava vingar-se de Amalia deixando que eu morresse de indigestão, me entupia de caramelos, de alcaçuz e de creme raspado do fundo da tigela no qual era fabricado.

— Duzentos e oito, segundo andar — disse-me um funcionário.

Peguei a chave e dispensei o elevador. Subi a passos lentos uma ampla escadaria, coberta por um tapete vermelho fixado por hastes douradas.

17

O quarto 208 era tão esquálido quanto o de um hotel de terceira categoria. Ficava no fundo de um corredor sem saída e mal-iluminado, ao lado de um almoxarifado deixado aberto por desleixo e cheio de vassouras, carrinhos, aspiradores de pó, roupa de cama suja. As paredes tinham uma cor amarelada e, em cima da cama de casal, havia uma Nossa Senhora de Pompeia com um raminho seco de oliveira enfiado entre o prego e o triângulo de metal que sustentava a imagem emoldurada. As instalações sanitárias, que em vista da pretensão do hotel deveriam estar lacradas, estavam sujas como se tivessem sido usadas pouco antes. A lixeira não fora esvaziada. Entre a cama de casal e a parede, havia um corredor estreito que dava acesso à janela. Esperando uma vista para o mar, eu a abri: naturalmente, dava para um pátio interno. Percebi que não estava mais chovendo.

Em primeiro lugar, tentei telefonar. Sentei-me na cama, evitando me olhar no espelho à frente. Deixei o telefone tocar muitas vezes, mas tio Filippo não atendeu. Então remexi na sacola de plástico onde eu havia enfiado as coisas que estavam na maleta da minha mãe, tirei o robe de cetim rosado e o vestido azul-escuro muito curto. A roupa, jogada na sacola sem cuidado, estava toda amarrotada. Estendi o vestido sobre a cama, alisando-o com as mãos. Depois peguei o robe e fui para o banheiro.

Despi-me e tirei o absorvente interno: a menstruação parecia ter terminado bruscamente. Enrolei o absorvente no papel higiênico e o joguei na lixeira. Verifiquei o chão do boxe: havia repugnantes pelos curtos e pretos espalhados pela borda de porcelana. Deixei a água escorrer por bastante tempo antes de me posicionar sob a ducha. Percebi com satisfação que eu conseguia dominar a necessidade de me apressar. Estava separada de mim mesma: a mulher que queria sair em disparada com os olhos arregalados era observada imparcialmente pela mulher sob a água. Eu me ensaboava cuidadosamente e fazia com que cada gesto pertencesse a um mundo exterior sem prazos. Eu não estava perseguindo ninguém e ninguém estava me perseguindo. Não estava sendo esperada e não esperava visitas. Minhas irmãs haviam partido para sempre. Meu pai estava em sua velha casa, na frente do cavalete, pintando ciganas. Minha mãe, que havia anos existia apenas como uma obrigação incômoda, às vezes como um tormento, estava morta. Porém, enquanto eu esfregava vigorosamente o rosto, especialmente em torno dos olhos, percebi com uma ternura inesperada que, na verdade, Amalia estava sob minha pele, como um líquido quente que havia sido injetado em mim sabe-se lá quando.

 Torci bem os cabelos molhados até deixá-los quase enxutos e verifiquei no espelho se restara rímel entre os cílios. Vi minha mãe do jeito que ela aparecia na carteira de identidade e sorri para ela. Depois vesti o robe de cetim e, pela primeira vez na vida, apesar daquela detestável cor rosada, tive a impressão de ser bonita. Senti, aparentemente sem motivo, a mesma surpresa agradável de quando eu encontrava em lugares inesperados os presentes que Amalia havia escondido, fingindo ter se esquecido de datas e festividades. Ela nos mantinha em suspense até que, de repente, o presente surgia em recantos da vida cotidiana que nada tinham a ver com a excepcionalidade do presente. Ao nos ver felizes, ela ficava mais feliz do que nós.

 Entendi repentinamente que o conteúdo da mala não era para ela, mas para mim. A mentira que eu havia contado à vendedora da loja Vossi era, de fato, a verdade. O vestido azul-escuro que me esperava em cima da cama também era certamente do meu tamanho. Percebi tudo aquilo de súbito, como se fosse o próprio robe sobre a pele que estivesse me dizendo. Enfiei as mãos nos bolsos com a certeza de que encontraria um cartão de feliz aniversário. E, de fato, lá estava, preparado propositalmente para me surpreender. Abri o envelope e li a caligrafia cursiva de Amalia, com aquelas letras ornadas que ninguém mais sabe fazer: "Feliz aniversário, Delia. Sua mãe." Logo em seguida, me dei conta de que estava com os dedos um pouco sujos de areia. Enfiei as mãos novamente no bolso e descobri que, no fundo, havia uma leve camada de areia. Minha mãe usara aquele robe antes de se afogar.

18

Não notei a porta se abrindo. Ouvi, porém, quando alguém a trancou. Polledro tirou o paletó e o jogou sobre uma cadeira. Disse em dialeto:

— Não vão me dar um tostão.

Olhei para ele, perplexa. Eu não entendia do que ele estava falando: talvez um empréstimo bancário, talvez dinheiro de agiotagem, talvez um suborno. Parecia um marido cansado que achava que podia me contar seus problemas como se eu fosse sua esposa. Sem paletó, era possível ver a camisa estufada sobre o cinto, o tórax com o peitoral largo e pesado. Preparei-me para ordenar que ele saísse do quarto.

— Em vez disso, querem que eu devolva o dinheiro que me adiantaram — continuou o monólogo do banheiro, a voz chegando até mim junto ao som do jato de urina no vaso. — Meu pai foi pedir dinheiro a Moffa sem me avisar. Na idade dele, quer recuperar a confeitaria da Via Gianturco e fazer sei lá o quê. Contou lorotas, como sempre. Agora Moffa não confia mais em mim. Diz que não sei controlar o velho. Vão me tirar a loja.

— Não íamos almoçar juntos? — perguntei.

Ele passou na minha frente como se não tivesse ouvido. Foi até a janela e abaixou a persiana. Restou apenas a luz fraca que saía da porta aberta do banheiro.

— Você demorou demais — queixou-se por fim. — Significa que vai pular o almoço: às quatro, a loja abre novamente, não tenho muito tempo.

Olhei mecanicamente para os ponteiros luminosos do relógio: eram dez para as três.

— Deixe eu me vestir.

— Você está bem assim — respondeu. — Mas se prepare para me devolver tudo: vestidos, robe, calcinhas.

Comecei a sentir o coração disparar. Não suportava o seu dialeto e a hostilidade que ele emanava. Além disso, eu não via mais a expressão do rosto dele, o que me impedia de entender até que ponto estava exibindo características primárias de um modelo de virilidade, e até que ponto, por outro lado, aquele comportamento materializava intenções reais de violência. Eu via apenas a silhueta escura desatando a gravata.

— Essas coisas são minhas — retorqui, pronunciando com cuidado as palavras. — Foram presentes de aniversário da minha mãe para mim.

— São coisas que meu pai pegou na loja. Por isso, você vai me devolver tudo — respondeu ele com uma leve inflexão infantil na voz.

Eu não tinha dúvida de que ele não estava mentindo. Imaginei Caserta escolhendo aquelas roupas para mim: cores, tamanho, modelos. Senti um arrepio de nojo.

— Fico só com o vestido e deixo todo o resto — decidi.

Estendi a mão em direção à cama para pegar o vestido e correr para o banheiro, mas o gesto cortou o ar com velocidade excessiva e atingiu a parede com a Nossa Senhora de Pompeia e o ramo de oliveira. Eu precisava me movimentar mais lentamente. Desci o braço de modo contido para evitar que todo o quarto ganhasse vida e tudo começasse a mudar de lugar dominado pela ansiedade. Eu odiava os momentos em que o frenesi assumia o controle.

Polledro notou minha hesitação e agarrou meu pulso. Não reagi, sobretudo para evitar que, ao tentar cortar pela raiz um esboço de resistência da minha parte, ele me puxasse para si com força. Eu sabia que só conseguiria manter sob controle a impressão de violência iminente se a velocidade dos movimentos parecesse escolhida por mim.

Ele me beijou sem me abraçar, mas ainda apertando com força o pulso. Primeiro apoiou os lábios nos meus, depois tentou abri-los com a língua. Seu jeito me tranquilizou: sim, estava apenas se comportando como achava que um homem devia se comportar em uma situação como aquela, mas sem agressividade real e, talvez, sem convicção. Havia provavelmente abaixado a persiana para aproveitar a escuridão e, disfarçadamente, mudar de expressão, relaxar os músculos do rosto.

Entreabri os lábios. Quarenta anos antes, imaginei com terror fascinado que a língua do pequeno Antonio fosse igual à de Caserta, mas nunca tive como comprovar. Quando criança, Antonio não se interessava por beijos, preferia explorar o acesso à minha vagina com os dedos sujos enquanto puxava minha mão para suas calças curtas. Depois, com o tempo, descobri que a língua de Caserta era uma fantasia. Nenhum dos beijos que ganhei me pareceu igual aos que imaginei que ele desse em Amalia. O Antonio adulto também confirmava que não estava à altura daquelas fantasias. Não me beijou com muita convicção. Assim que percebeu que aceitei abrir a boca, empurrou com ímpeto excessivo a língua entre meus dentes e, em seguida, ainda apertando meu pulso, passou minha mão sobre as suas calças. Senti que não devia ter entreaberto os lábios.

— Por que no escuro? — perguntei em voz baixa, com a boca encostada na dele.

Eu queria ouvi-lo falar para ter certeza de que não tentaria me machucar. Mas ele não respondeu. Deu um respiro curto, beijou minha bochecha, lambeu meu pescoço. Enquanto isso, não parava de apertar com força minha mão contra o tecido das suas calças. Insistia para que eu entendesse que não deveria ficar inerte, com a palma aberta. Segurei seu sexo. Só então ele largou meu pulso e me abraçou com força. Murmurou algo que não entendi e se curvou ligeiramente para buscar meus mamilos, empurrando meu torso para trás, provando com a boca o tecido de cetim e molhando de saliva meu robe.

Naquele momento, eu soube que nada de novo aconteceria. Estava iniciando um ritual conhecido ao qual, quando jovem, me submeti muitas vezes, esperando que, ao trocar de homens com frequência, meu corpo inventasse, vez por outra, respostas adequadas. A resposta, porém, sempre foi a mesma, idêntica à que eu estava expressando naquele momento. Polledro havia aberto meu robe para chupar meus seios, e eu começava a sentir um prazer leve, não localizado, como se água quente estivesse escorrendo sobre meu corpo enrijecido pelo frio. Enquanto isso, com uma das mãos, tomando cuidado para não atrapalhar a minha, que apertava seu membro embaixo do tecido, ele me acariciava o sexo com sofreguidão excessiva, excitado por ter descoberto que eu estava sem calcinha. Mas eu não sentia nada além daquele prazer difuso, agradável e, todavia, não urgente.

Fazia tempo que eu tinha certeza de que jamais superaria aquele estágio. Eu só precisava esperar que ele ejaculasse. Por outro lado, como sempre, eu não sentia nenhum ímpeto em ajudá-lo; pelo contrário, mal podia me mexer. Eu sabia intuitivamente que ele estava esperando que eu desabotoasse suas calças, pusesse o pênis para fora, não me limitasse a apertá-lo. Eu o sentia agitar os quadris, tentando me transmitir instruções hesitantes. Mas eu não conseguia responder. Temia que minha respiração já lenta cessasse totalmente. Além disso, estava paralisada por um constrangimento crescente pelos líquidos copiosos que eu estava vertendo.

Na juventude, quando eu tentava me masturbar, acontecia a mesma coisa. O prazer se difundia com tepidez, sem nenhum crescendo, e a pele logo começava a ficar molhada. Por mais que eu me acariciasse, só conseguia fazer com que os fluidos do corpo transbordassem: a boca, em vez de secar, se enchia de uma saliva que me parecia gélida; o suor escorria pela testa, pelo nariz, pelas bochechas; as axilas se tornavam poças; nenhum centímetro de pele ficava seco; o sexo se tornava tão molhado que os dedos escorregavam sobre ele sem atrito, e eu não sabia mais se estava realmente me acariciando ou se era apenas imaginação. A tensão do meu corpo nunca crescia: eu ficava exausta e insatisfeita.

Até então, Polledro parecia não ter percebido nada daquilo. Empurrou-me para a cama, sobre a qual, para evitar que caíssemos juntos devido à velocidade induzida por seu peso, primeiro ele me sentou cuidadosamente e depois eu me estendi com docilidade. Vi sua sombra demorar alguns segundos, indecisa. Depois ele tirou os sapatos, a calça, a cueca. Subiu na cama de joelhos e ficou de quatro em cima de mim, levemente apoiado na minha barriga, sem jogar o peso sobre o meu corpo.

— E então? — murmurou.

— Venha — falei, mas permaneci imóvel.

Ele gemeu, o peito bem ereto: esperava que finalmente seu sexo, grosso e grande na penumbra, misturasse seus desejos aos que ele atribuía a mim. Como nada aconteceu, depois de um longo respiro ele estendeu uma das mãos e voltou a esfregar entre as minhas pernas. Deve ter achado que, daquela maneira, finalmente me induziria a reagir: por paixão, por piedade materna; a modalidade da reação não lhe parecia importante, só estava procurando a alavanca para me estimular. Mas minha complacência sem participação começou a desorientá-lo. Pensei, como sempre pensava naquelas circunstâncias, que deveria fingir um frenesi suspiroso e descontrolado ou rechaçá-lo. Mas não ousei fazer nem uma coisa nem outra: temia precisar correr para vomitar, porque o resultado seria como as ondas de um terremoto. Era só esperar. Além disso, eu já não estava mais sentindo seus dedos: talvez ele tivesse recuado com nojo, talvez ainda estivesse me tocando, mas eu já houvesse perdido toda a sensibilidade.

Decepcionado, Polledro pegou minhas mãos e as colocou em volta do seu sexo. Àquela altura, entendi que nunca penetraria minha vagina a menos que se convencesse de que eu o desejava. Percebi, também, que sua ereção começava a cessar, como um néon defeituoso. Ele também se deu conta disso e se deslocou para a frente, a fim de ficar com a barriga próxima da minha boca. Senti por ele uma vaga compaixão, como se aquele fosse realmente o Antonio criança que eu havia conhecido, e queria dizer isso a ele, mas a voz não saiu: ele estava se esfregando lentamente contra os meus lábios, e fiquei com medo de que um leve e imperceptível movimento da boca acabasse sendo tão incontrolável a ponto de dilacerar seu sexo.

— Por que você foi até a loja? — perguntou ressentido, deslizando de volta ao longo do meu corpo ensopado de suor. — Não fui eu que procurei você.

— Eu nem sabia quem você era — respondi.

— E todas aquelas histórias? O vestido, as calcinhas... O que você queria?

— Não fui lá para ver você — expliquei, mas sem agressividade. — Só queria encontrar seu pai. Queria saber o que aconteceu com a minha mãe antes de ela se afogar.

Percebi que ele não estava convencido e tentava me acariciar novamente. Balancei a cabeça para que ele entendesse: chega. Agachou-se em cima de mim, mas só por um instante. Recuou com um gesto de repulsa ao me sentir encharcada de suor.

— Você não está passando bem — disse, incerto.

— Estou bem. E, mesmo que estivesse doente, seria tarde demais para me curar.

Polledro rolou, conformado, para o meu lado. Vi na penumbra que estava enxugando com o lençol os dedos, o rosto, as pernas; depois acendeu a luz na mesinha de cabeceira.

— Você está parecendo um fantasma — falou ele, olhando para mim sem ironia.

Com uma ponta da camisa que ainda vestia, começou a enxugar meu rosto.

— A culpa não é sua — tranquilizei-o, e pedi que apagasse novamente a luz.

Não queria ser vista e não queria vê-lo. Perdido e desolado daquela maneira, parecia-se demais com o Caserta que eu havia imaginado ou realmente vira quarenta anos antes. A impressão foi tão intensa que até pensei em contar para ele logo, no escuro, o que se aglomerava em volta daquele seu rosto tão diferente do rosto exaltado e camorrista que ele exibira durante toda a manhã. Ao falar, eu queria apagar tanto a mim quanto a ele naquela cama, diferentes das crianças de antigamente. Tínhamos em comum apenas a violência que havíamos testemunhado.

Quando meu pai descobriu que Amalia e Caserta se encontravam secretamente no porão — pensei em contar-lhe lentamente —, não perdeu tempo. Antes de mais nada, saiu correndo atrás de Amalia pelo corredor, depois pela escada, depois pela rua. Senti o cheiro das tintas a óleo quando ele passou na minha frente e tive a impressão de que ele mesmo estivesse muito colorido.

Minha mãe fugiu para debaixo da ponte da ferrovia, escorregou em uma poça, foi alcançada, levou socos, tapas, um chute nas costas. Depois de puni-la como devia, levou-a de volta para casa sangrando. Bastava ela tentar falar que ele tornava a golpeá-la. Olhei durante um bom tempo para ela, machucada, suja, e ela olhou durante um bom tempo para mim, enquanto meu pai explicava o acontecido a tio Filippo. Amalia tinha um olhar espantado: me fitava e não entendia. Então, irritada, fui embora espiar os outros dois.

Meu pai e tio Filippo estavam ao longe, e eu podia observá-los da janela: eram soldadinhos de lata tomando sérias decisões no pátio. Ou figurinhas de militares para serem recortadas e coladas em um álbum, uma ao lado da outra, de modo que pudessem se falar em particular. Meu pai havia calçado botas e vestido um traje de safári. Tio Filippo pusera uma farda verde--oliva, ou talvez branca, ou talvez preta. E não só isso: tinha pegado um revólver.

Ou ficou à paisana, embora, na penumbra do quarto 208, uma voz ainda dissesse: "Vai matá-lo, pegou o revólver." Talvez fossem aqueles sons que me fizessem ver meu pai de botas, tio Filippo de farda, com os dois braços para baixo, próximo ao corpo, e o revólver na mão direita. Juntos, seguiam o jovem Caserta, com o capote de lã de camelo, subindo a escadaria de sua casa. Atrás deles, a distância, para não ser novamente massacrada, ou porque estava fraca e não conseguia correr, estava Amalia com o seu tailleur azul-escuro e o chapéu com plumas, dizendo em voz baixa, cada vez mais atônita: "Não o matem, ele não fez nada."

Caserta morava no último andar, mas foi alcançado no segundo. Ali, os três homens pararam como que para uma assembleia secreta. De fato, produziram em uníssono um vozerio de insultos em dialeto, uma longa lista de palavras que terminavam em consoantes, como se a vogal final tivesse caído em um abismo e o resto da palavra ganisse surdamente de desgosto.

Terminada a lista, Caserta foi empurrado escada abaixo e rolou até o primeiro andar. Levantou-se ao chegar no final e subiu correndo outra vez: não se sabe se para ir audaciosamente ao encontro dos vingadores ou se para tentar chegar até sua casa e sua família no quarto andar. O fato é que conseguiu passar e — com uma das mãos deslizando levemente sobre o corrimão, mas agarrando-o quando seu corpo fazia a curva, sem que as pernas parassem de galgar os degraus de três em três — foi rodopiando escada acima até a porta de casa, perseguido por chutes que não o acertavam e cusparadas que às vezes o atingiam como meteoros.

Meu pai o alcançou primeiro e o derrubou. Levantou sua cabeça pelos cabelos e começou a batê-la na grade. Os baques produziam um eco interminável. Por fim, deixou-o desfalecido sobre o sangue no chão, graças ao conselho do cunhado — que até tinha um revólver, porém era mais sábio. Tio Filippo segurou meu pai por um braço e o puxou calmamente para longe: não fosse por isso, ele teria deixado Caserta morto ali no chão. A mulher de Caserta também afastava meu pai: estava agarrada ao seu outro braço. De Amalia, restava apenas a voz, que dizia: "Não o matem, ele não fez nada." Antonio, que havia sido meu companheiro de brincadeiras, chorava, mas com a cabeça baixa, suspenso no vão da escada como se voasse.

Percebi Polledro respirando ao meu lado em silêncio e senti pena da criança que ele tinha sido.

— Vou embora — falei.

Levantei-me e logo pus o vestido para evitar seu olhar em minha sombra. Senti que a peça caía perfeitamente em mim. Então procurei na sacola de plástico uma calcinha branca e também a vesti, deslizando-a por baixo do vestido. Em seguida acendi a luz. Polledro tinha um olhar ausente. Eu o observei e não consegui mais pensar que havia sido Antonio, que se parecia com Caserta. Seu corpo pesado jazia na cama, nu da cintura para baixo. Era o corpo de um estranho, sem nexos evidentes com a minha vida passada ou presente a não ser pela marca úmida que eu deixara no seu quadril. Mas fiquei grata assim mesmo a ele pela dose mínima de humilhação e dor que me causara. Dei a volta na cama, sentei-me do lado onde ele estava e o masturbei. Ele deixou, de olhos fechados. Ejaculou sem um gemido sequer, como se não estivesse sentindo prazer algum.

19

O mar se tornara uma pasta arroxeada. Os sons da tempestade e os da cidade formavam uma mistura furiosa. Atravessei a rua me esquivando de carros e poças. Mais ou menos ilesa, parei para olhar as fachadas dos grandes hotéis alinhados ao longo do fluxo feroz dos veículos. Cada abertura entre aquelas estruturas era brutalmente fechada pelo barulho do tráfego e do mar.

Fui de ônibus até a Piazza Plebiscito. Após uma peregrinação por cabines telefônicas vandalizadas e bares com aparelhos quebrados, encontrei finalmente um telefone e liguei para tio Filippo. Ninguém atendeu. Enveredei pela Via Toledo quando as lojas estavam abrindo e o fluxo de transeuntes já era intenso. As pessoas paravam em pequenos grupos apenas na entrada das vielas, íngremes e negras sob o céu tenebroso. Na altura da Piazza Dante, comprei um pouco de chocolate, mas o fiz apenas para respirar o ar licoroso da loja. Na verdade, eu não tinha vontade de nada: estava tão distraída que me esquecia de pôr o doce na boca e o deixava derreter entre os dedos. Prestava pouca atenção aos olhares insistentes dos homens.

Estava calor e, em Port'Alba, não havia brisa nem luz. Embaixo da casa da minha mãe, fui atraída por algumas cerejas grandes e brilhosas. Comprei meio quilo, entrei sem prazer no elevador e fui bater à porta da viúva De Riso.

A mulher abriu-a, circunspecta como sempre. Mostrei as cerejas e disse que as havia comprado para ela. Arregalou os olhos. Tirou a corrente da porta e me pediu para entrar, visivelmente contente com aquele presente inesperadamente sociável.

— Não — falei —, venha a senhora à minha casa. Estou esperando um telefonema. — Depois acrescentei alguma coisa sobre os fantasmas: eu tinha certeza, tranquilizei-a, de que em poucas horas iam ficando cada vez menos autônomos. — Depois de certo tempo, começam a fazer e a dizer somente o que nós mandamos. Se quisermos que se calem, acabam por se calar.

O verbo "calar" provocou na sra. De Riso certa intimidação linguística. Para aceitar o convite, buscou usar um italiano à altura do meu, então trancou a porta da sua casa enquanto eu abria a da minha mãe.

O apartamento estava sufocante. Apressei-me a escancarar as janelas e pus as cerejas em um recipiente de plástico. Deixei a água escorrer enquanto a idosa, após um olhar panorâmico muito desconfiado, se sentava à mesa da cozinha de um jeito quase mecânico. Para se justificar, disse que minha mãe sempre a acomodava ali.

Pus as cerejas na frente dela. Esperou que eu a convidasse a se servir e, quando o fiz, levou uma fruta à boca com um gesto infantil que me agradou: pegou-a pelo cabo e a deixou cair na boca, girando a fruta entre a língua e o céu da boca sem mordê-la, deixando o cabinho verde dançar ao longo de seus lábios pálidos; depois o segurou novamente com os dedos e o arrancou com um leve estalido.

— Delícia — disse e, mais relaxada, começou a elogiar meu vestido. Então destacou: — Eu disse que esse azul-escuro ficaria melhor em você do que o outro.

Olhei para o vestido e depois para ela, querendo ter certeza de que estava realmente falando daquilo. Ela não tinha dúvidas, continuou: tinha ficado muito bem em mim. Quando Amalia mostrara-lhe meus presentes de aniversário, a sra. De Riso logo havia percebido que aquele era o vestido mais apropriado para mim. Minha mãe também parecera convencida. A sra. De Riso me contou que ela estava muito eufórica. Ali na cozinha, diante daquela mesma mesa, ela apoiava sobre o corpo ora a roupa íntima, ora os vestidos, repetindo: "Vão ficar bem nela." E estava muito satisfeita com a maneira como havia conseguido as peças.
— Como? — indaguei.
— Aquele amigo dela — disse a viúva De Riso.
Ele havia proposto uma troca: queria toda a roupa íntima velha da minha mãe em troca daquelas peças novas. A permuta não custava quase nada a ele. Era dono de uma loja muito luxuosa no Vomero. Amalia, que o conhecia desde jovem e sabia do seu tino comercial, suspeitava que ele quisesse usar suas calcinhas velhas e combinações remendadas como ponto de partida para criar novas mercadorias. Mas a sra. De Riso conhecia bem o mundo. Dissera a ela que, distinto ou não, velho ou jovem, rico ou pobre, quando o assunto era homem, era sempre bom ficar atenta. No entanto, minha mãe estava contente demais para lhe dar ouvidos.

Ao notar o tom deliberadamente ambíguo da sra. De Riso, senti vontade de rir, mas me contive. Imaginei Caserta e Amalia, a partir dos trapos mais velhos dela, projetando juntos naquela casa, noite após noite, um grande relançamento das roupas íntimas dos anos cinquenta para senhoras. Inventei um Caserta persuasivo, uma Amalia sugestionável, velhos e sozinhos, ambos sem um tostão, naquela cozinha esquálida, a poucos metros do ouvido receptivo da viúva igualmente velha, igualmente sozinha. A cena me pareceu plausível. Mas falei:

— Talvez não fosse uma troca de verdade. Talvez o amigo quisesse fazer um favor para ela e pronto. A senhora não acha?

A viúva comeu outra cereja. Não sabia onde pôr os caroços: cuspia-os na palma da mão e os deixava ali.

— Pode ser — admitiu, pouco convencida. — Ele era muito distinto. Vinha quase todas as noites, e às vezes iam jantar fora, outras vezes iam ao cinema ou então dar um passeio. Quando eu os ouvia no corredor, ele falava sem parar, e sua mãe ria sempre.

— Isso não tem nada de mau. É bom rir.

A velha hesitou, mastigando a cereja.

— Seu pai tinha me deixado desconfiada — disse.

— Meu pai?

Meu pai. Repeli a sensação de que ele estava ali na cozinha, e já estivesse sabe-se lá desde quando. A sra. De Riso me explicou que ele fora até lá às escondidas para pedir que ela o avisasse caso percebesse que Amalia estava fazendo algo imprudente. Não era a primeira vez que ele aparecia de repente com pedidos daquele tipo. Mas, naquela ocasião, fora especialmente insistente.

Perguntei a mim mesma qual era, para meu pai, a diferença entre algo imprudente ou não. A sra. De Riso pareceu perceber e, a seu modo, tentou me explicar. Imprudente era se expor aos riscos da existência com leviandade. Meu pai se preocupava com a mulher, embora estivessem separados havia vinte e três anos. O coitado continuava a amá-la. Fora tão gentil, tão... A sra. De Riso buscou com cuidado a palavra italiana adequada: "desolado".

Eu sabia. Ele tentara, como sempre, causar boa impressão na viúva. Fora afetuoso, dissera que estava preocupado. Mas, na verdade — pensei —, não havia barreira urbana que pudesse impedir que ele ouvisse o eco da risada de Amalia. Meu pai não suportava que ela risse. Achava a risada dela de uma sonoridade impessoal, visivelmente falsa. Todas as vezes que havia um estranho em casa (por exemplo, os indivíduos que apareciam a intervalos fixos para encomendar retratos de moleques e ciganas ou imagens do vesúvio com pinheiro), ele lhe recomendava: "Não ria." Para ele, aquela risada parecia açúcar espalhado de propósito para humilhá-lo. Na realidade, Amalia só procurava dar voz às mulheres de aparência feliz fotografadas ou desenhadas nos cartazes e revistas dos anos quarenta: boca larga pintada, todos os dentes cintilantes, olhar vivaz. Era assim que imaginava ser, e dera a si mesma a risada adequada. Deve ter sido difícil para ela escolher o riso, as vozes, os gestos que o marido podia tolerar. Nunca era possível saber o que era permitido ou não. Alguém passa na rua e olha para você. Uma frase jocosa. Um consentimento irrefletido. E aí alguém tocava a campainha. E aí entregavam-lhe rosas. E aí ela não as recusava. Ria, isso sim, e escolhia um vaso de vidro azul, e as arrumava no recipiente repleto de água. Na época em que, a intervalos regulares, chegavam esses presentes misteriosos, essas homenagens anônimas (mas todos nós sabíamos que eram de Caserta; Amalia sabia), ela era jovem e parecia brincar, sem malícia. Deixava cair o cacho negro sobre a testa, piscava, dava gorjetas aos entregadores, permitia que a mercadoria ficasse na nossa casa como se aquela permanência fosse lícita. Depois meu pai se dava conta e destruía tudo. Tentava destruí-la também, mas conseguia se conter sempre a um passo do massacre. De qualquer maneira, o sangue era testemunha de sua intenção. Enquanto a sra. De Riso conversava comigo, eu contava a mim mesma sobre o sangue. Na pia. Gotejava do nariz de Amalia em um fluxo denso, a princípio vermelho, depois clareando em contato com a água da torneira. Também descia ao longo do braço dela, até o cotovelo. Ela tentava estancá-lo com a mão, mas escorria pela palma e deixava rastros vermelhos como arranhões. Não era sangue inocente. Para meu pai, nada de Amalia jamais parecera inocente. Ele, tão furioso, tão rancoroso e, ao mesmo tempo, tão ávido por prazer, tão briguento e tão apaixonado por si mesmo, não sabia aceitar que ela tinha com o mundo uma relação amigável, por vezes alegre. Reconhecia ali o sinal da traição. Não apenas a sexual: àquela altura, eu não acreditava mais que ele temesse apenas ser traído no sexo. Estava certa de que, em vez disso, ele temia sobretudo o abandono, a transferência para o campo inimigo, a aceitação das razões, do léxico, do gosto de gente como Caserta: comerciantes infiéis, sem regras, sedutores sórdidos aos quais ele tinha que se curvar por necessidade. Então, tentava impor a ela um código de conduta para comunicar distância ou até mesmo inimizade. Mas logo explodia em insultos. Amalia, segundo meu pai, tinha um timbre de voz facilmente persuasivo; o gesto da mão era suave e lânguido demais; o olhar vivaz a ponto de ser descarado. Sobretudo, ela conseguia agradar sem esforço e sem ambição de agradar. Acontecia, mesmo se ela não quisesse. Ah, sim: por agradar, ele a punia com tapas e socos. Interpretava gestos, olhares, como sinais de transações obscuras, de encontros secretos, de acordos alusivos somente para marginalizá-lo. Eu tinha dificuldade de tirá-lo da mente: tão intolerante, tão violento. A força. Ele me petrificava. A imagem do meu pai destruindo as rosas, arrancando as pétalas, gritava e gritava dentro da minha cabeça havia décadas. Agora estava queimando o vestido novo que ela não havia devolvido, que usara em segredo. Eu não conseguia suportar o cheiro de tecido queimado. Apesar de ter escancarado a janela.

— Voltou e bateu nela? — perguntei.

A mulher admitiu a contragosto:

— Apareceu aqui um dia bem cedo, ainda nem eram seis da manhã, e ameaçou matá-la. Disse coisas realmente horríveis.

— Quando isso aconteceu?

— Em meados de maio: uma semana antes de sua mãe partir.

— E Amalia já tinha recebido os vestidos e a roupa íntima nova?

— Já.

— E estava contente?

— Estava.

— Como ela reagiu?

— Como sempre. Esqueceu tudo assim que ele foi embora. Eu o vi sair: estava branco como peixe na farinha. Ela, por sua vez, nada. Disse: ele é assim mesmo, nem a velhice o mudou. Mas entendi que não estava tudo esclarecido. Até o momento de partir, até o trem, repeti para ela: Amalia, tome cuidado. Nada. Parecia tranquila. Porém, na rua, teve dificuldade de caminhar no ritmo normal. Desacelerava de propósito. No vagão, pôs-se a rir sem motivo e começou a se abanar com uma ponta da saia.

— O que isso tem de estranho? — perguntei.

— Não é coisa que se faça — respondeu a viúva.

Peguei duas cerejas unidas pelo cabo e as apoiei no indicador estendido, fazendo-as oscilar para a esquerda e para a direita. Durante sua existência, Amalia provavelmente desistira de fazer muitas coisas que, como qualquer ser humano, poderia ter feito legítima e ilegitimamente. Mas talvez só tivesse fingido que não as fizera. Ou talvez tivesse se dado ares de quem fingia para que meu pai pensasse o tempo todo na sua falta de confiabilidade e sofresse. Talvez tenha sido esse o seu modo de reagir. Mas não levou em conta que nós, suas filhas, poderíamos pensar a mesma coisa, para sempre: sobretudo eu. Não conseguia reinventá-la ingênua. Nem mesmo agora. Era possível que Caserta, ao procurar a companhia dela, estivesse perseguindo apenas um fragmento da sua juventude. Mas eu tinha certeza de que Amalia ainda brincava quando abria a porta para ele com a malícia da juventude, puxando o cacho de cabelo para cima da sobrancelha e piscando. Era possível que, com aquela história de homem de negócios cheio de ideias, o velho tivesse apenas desejado comunicar de maneira discreta seu fetichismo. Mas ela não recuou. Riu conscientemente daquela troca e deu vazão às pulsões senis dela mesma e de Caserta usando a mim e meu aniversário como desculpa. Não, sim. Percebi que eu estava desenterrando uma mulher sem prudência e sem a virtude do espanto. Eu tinha lembranças. Mesmo quando meu pai erguia os punhos e a golpeava, como se a modelasse feito uma pedra ou um tronco, ela dilatava as pupilas não por medo, mas por perplexidade. Deve ter arregalado os olhos da mesma maneira quando Caserta propôs a troca. Com divertida perplexidade. Eu também fiquei perplexa, como se estivesse diante de uma encenação de violência, uma brincadeira a dois feita de convenções: o espantalho que não espanta, a vítima que não é aniquilada. Pensei que Amalia, desde criança, devia ter pensado nas próprias mãos como se fossem luvas, silhuetas primeiro de papel e, depois, de couro. Ela havia costurado muitas luvas. Depois começou a reduzir viúvas de generais, mulheres de dentistas, irmãs de magistrados a medidas de busto e quadris. Aquelas medidas, que tirava abraçando discretamente com a fita métrica amarela de costureira corpos femininos de todas as idades, tornavam-se moldes de papel que, fixados ao tecido com alfinetes, desenhavam nele sombras de seios e quadris. Cortava o tecido atentamente, tensa, seguindo o percurso imposto pelos moldes. Durante todos os dias da sua vida havia reduzido o incômodo dos corpos a papel e tecido, e talvez tenha criado um hábito a partir do qual repensava tacitamente a desmedida segundo a medida. Eu nunca havia pensado nisso e, no momento em que a ideia me ocorreu, não podia perguntar a ela se era assim mesmo que as coisas tinham sido. Tudo se perdera. Mas, diante da sra. De Riso enquanto ela comia cerejas, eu achava que aquela brincadeira final com tecidos entre ela e Caserta, aquela redução da história subterrânea deles a uma troca convencional de roupas velhas e novas, era uma espécie de conclusão irônica. Mudei de humor bruscamente. De repente, senti-me contente por acreditar que sua leviandade fosse pensada. Gostei inesperadamente, com surpresa, daquela mulher que, de alguma maneira, tinha inventado sua história até o fim, brincando por conta própria com tecidos vazios. Imaginei que ela não tivesse morrido insatisfeita e suspirei com inesperada satisfação. Pendurei na orelha as cerejas com as quais brincara até aquele momento e ri.

— Como fiquei? — perguntei à velha que, nesse meio-tempo, havia amontoado na palma da mão em concha pelo menos dez caroços.

Ela fez uma careta incerta.

— Bem — disse, sem convicção diante daquela minha esquisitice.

— Eu sei — declarei, por minha vez, satisfeita.

Então escolhi outras duas cerejas com os cabos unidos. Fiz menção de pendurá-las na outra orelha, mas mudei de ideia e as ofereci à sra. De Riso.

— Não. — Ela se esquivou, recuando.

Levantei-me, fiquei atrás dela e, enquanto ela balançava a cabeça e ria, ruborizada, puxei para trás os cabelos grisalhos e pendurei as cerejas na sua orelha. Depois me afastei para contemplar a visão.

— Linda — exclamei.

— Que nada! — murmurou a velha, constrangida.

Escolhi outro par de cerejas e fui novamente para trás dela a fim de ornamentar a outra orelha. Depois a abracei, cruzando seus braços sobre os seios grandes e apertando com força.

— Mamãezinha — disse-lhe —, foi você que contou tudo ao meu pai, não foi?

Então beijei seu pescoço enrugado, que estava ficando vermelho rapidamente. Agitou-se entre os meus braços, não sei se devido ao incômodo ou para se libertar. Negava, dizia que nunca teria feito aquilo: como eu podia pensar uma coisa daquelas?

Contudo, havia feito — pensei. Fizera papel de espiã para ouvir meu pai gritar, bater portas, quebrar pratos, desfrutando de tudo sofregamente na toca do próprio apartamento.

O telefone tocou. Beijei-a novamente, com força, na testa pálida, antes de ir atender: já estava no terceiro toque.

— Alô — falei.

Silêncio.

— Alô — repeti com calma enquanto observava a sra. De Riso, que me olhava com desconfiança e tentava se levantar da cadeira com dificuldade.

Desliguei.

— Por que a senhora não fica mais um pouco? — convidei-a, voltando a tratá-la com mais formalidade. — Quer me dar os caroços? Coma outras cerejas. Só mais uma. Ou as leve com a senhora.

Mas senti que não conseguia assumir um tom tranquilizador. A velha já estava de pé, encaminhando-se para a porta com as cerejas penduradas nas orelhas.

— Ficou brava comigo? — perguntei, apaziguadora.

Ela me olhou, estupefata. Deve ter pensado em algo que a fez parar no meio do caminho.

— Esse vestido — disse-me, perplexa —, como você conseguiu pegá-lo? Não deveria. Estava na mala junto com outras coisas. E a mala nunca foi encontrada. De onde você o tirou? Quem o deu para você?

Enquanto ela falava, percebi que suas pupilas passavam rapidamente da surpresa ao medo. Não fiquei contente com aquilo; não tinha intenção de assustá-la, não gostava de causar medo. Alisei o vestido com as mãos como se quisesse alongá-lo e fiquei sem graça por estar apertada naquela roupa curta, justa, elegante demais, imprópria para minha idade.

— É só tecido, sem memória — murmurei.

Queria dizer que o vestido não podia fazer mal nem a mim nem a ela. Mas a velha De Riso sibilou:

— É coisa suja.

Abriu a porta e a fechou rapidamente ao sair. Naquele momento, o telefone voltou a tocar.

20

Deixei que o aparelho tocasse duas ou três vezes. Então ergui o fone: zumbidos, vozes distantes, barulhos indecifráveis. Repeti "alô" sem esperança, só para que Caserta ouvisse que eu estava lá, que não estava assustada. Por fim, desliguei. Sentei-me à mesa da cozinha, tirei as cerejas da orelha e as comi. Eu já sabia que todos os telefonemas seguintes teriam a simples função de lembrete, como uma espécie de assobio que os homens costumavam dar antigamente para anunciar da rua que estavam voltando para casa e as mulheres podiam pôr o macarrão para cozinhar.

Dei uma olhada no relógio: eram seis e dez. Para evitar que Caserta me obrigasse novamente a escutar seu silêncio, peguei o telefone e liguei para tio Filippo. Estava preparada para ouvir o longo som dos toques. Porém, meu tio atendeu, mas sem entusiasmo, quase incomodado pelo fato de ser eu. Disse que tinha acabado de chegar, que estava cansado e resfriado, que queria ir para a cama. Forçou uma tosse. Só mencionou Caserta, irritado, quando eu perguntei. Disse que tinham conversado por muito tempo, mas sem brigar. De repente, se deram conta de que não havia mais motivo. Amalia estava morta, a vida tinha passado.

Ficou calado um instante para me deixar falar: esperava uma reação. Não reagi. Então recomeçou a reclamar da velhice, da solidão. Disse que Caserta havia sido expulso da casa do filho e abandonado, assim, sem um teto, pior do que um cachorro. O rapaz, primeiro, tinha roubado todo o dinheiro que o pai havia economizado e, depois, o colocado para fora. Sua única sorte fora a gentileza de Amalia. Caserta confidenciara que os dois se reencontraram depois de muitos anos: ela o ajudara, fizeram um pouco de companhia um para o outro, mas com discrição, com cortesia recíproca. Agora ele estava vivendo como um errante: um pouco aqui, um pouco acolá. Era algo que nem mesmo um homem como ele merecia.

— Um bom homem — comentei.

Filippo se tornou ainda mais frio.

— Tem um momento em que precisamos fazer as pazes com o próximo.

— E a garota do funicular? — perguntei.

Meu tio ficou sem graça.

— Às vezes, acontece — respondeu. Eu ainda não sabia, mas também veria que a velhice é um bicho feio e feroz. Em seguida, acrescentou: — Existem obscenidades piores do que aquela. — Por fim, concluiu com amargura incontida: — Entre ele e Amalia nunca houve nada.

— Talvez seja verdade — admiti.

Ele levantou a voz:

— Então por que você nos contou aquelas coisas?

Retruquei:

— E por que vocês acreditaram em mim?

— Você tinha cinco anos.

— Exatamente.

Tio Filippo bufou. Então murmurou:

— Vá embora. Esqueça-o.

— Cuide-se — aconselhei e desliguei.

Fiquei olhando para o telefone por alguns segundos. Sabia que tocaria: em algum lugar, Caserta estava esperando que a linha ficasse livre. O primeiro toque não tardou. Tomei uma decisão e saí de casa depressa, sem trancar a porta.

Não havia mais nuvens, não havia mais vento. Uma luz esbranquiçada parecia reduzir a Arquiconfraria de Nossa Senhora das Graças, minúscula entre as fachadas transparentes dos edifícios vulgares, cheios de letreiros publicitários. Fui em direção aos táxis, depois mudei de ideia e entrei no edifício amarelado do metrô. A multidão passou farfalhando ao meu lado como se feita de papel recortado para divertir as crianças. As obscenidades em dialeto — as únicas obscenidades que conseguiam combinar na minha cabeça som e sentido de maneira a materializar um sexo incômodo por seu realismo agressivo, libertino e pegajoso: qualquer outra fórmula fora daquele dialeto me parecia insignificante, muitas vezes alegre, capaz de ser dita sem repulsa — suavizaram os próprios sons de maneira inesperada, tornando-se uma espécie de chiado extraforte contra o rolo de uma velha máquina de escrever. Enquanto eu enveredava pela entrada do metrô da Piazza Cavour, atravessada por um vento quente que fazia ondular as paredes metálicas e misturava o vermelho e o azul da escada rolante, imaginei ser uma figura do baralho napolitano: o oito de espadas, a mulher tranquila e armada que avança a pé, pronta para entrar na partida de *briscola*. Estreitei os lábios até sentir dor.

Ao longo de todo o percurso, fiquei olhando para trás. Não consegui ver Caserta. Para monitorar melhor as áreas semivazias da plataforma entre os dois buracos negros do túnel, misturei-

-me ao grupo mais denso de passageiros. O trem chegou apinhado, mas esvaziou logo em seguida, na penumbra das luzes fluorescentes da estação Piazza Garibaldi. Saltei no fim da linha e, depois de uma pequena escadaria, vi-me ao lado da velha fábrica de cigarros, no limite do bairro onde eu havia crescido.

Seu antigo ar rural, com edifícios esbranquiçados de quatro andares construídos no meio do campo poeirento, transformara-se ao longo dos anos em uma periferia ictérica, dominada por arranha-céus, estrangulada pelo tráfego e pelos trens que serpeavam entre as casas desacelerando. Virei subitamente à esquerda, na direção de um viaduto que passava em cima de três túneis, o central fechado devido a obras de reestruturação. Eu me lembrava de uma única passagem interminável, deserta e continuamente sacudida pelos trens que avançavam pelo desvio acima da minha cabeça. Mas não dei mais do que cem passos, lentamente, em uma penumbra com fedor de urina, espremida entre uma parede de onde a umidade escorria como baba viscosa e uma barra de proteção empoeirada que me protegia da fila compacta de carros velozes.

O viaduto estava ali desde que Amalia tinha dezesseis anos. Ela precisava atravessar aqueles túneis frescos e sombreados quando ia entregar as luvas. Sempre imaginei que ela as levava para o espaço que agora eu estava deixando para trás, uma velha fábrica com uma cobertura de telhas que, atualmente, exibia um letreiro da Peugeot. Mas, sem dúvida, não era bem assim. Afinal de contas, o que era bem assim? Já não havia mais gesto ou passo que, tendo ficado entre as mesmas pedras e as mesmas sombras de então, pudesse me ajudar. Embaixo do viaduto, Amalia fora seguida por desocupados, ambulantes, ferroviários, pedreiros mastigando pães recheados de brócolis e salsichas ou bebendo vinho de garrafões. Ela contava, quando queria contar, que a seguiam lado a lado, muitas vezes respirando na sua orelha. Procuravam tocar em seus cabelos, em um ombro, em um braço. Alguns tentavam pegar sua mão enquanto diziam obscenidades em dialeto. Ela mantinha os olhos abaixados e apertava o passo. Às vezes, começava a rir, sem conseguir mais se conter. Depois passava a correr mais depressa do que o perseguidor. Como corria! Parecia que estava brincando. Corria na minha cabeça. Seria possível que eu, ao passar por lá, a estivesse carregando dentro do meu corpo envelhecido e inadequadamente vestido? Seria possível que seu corpo de adolescente de dezesseis anos, trajando um vestido florido feito em casa, estivesse atravessando a penumbra servindo-se do meu, desviando atentamente das poças, correndo rumo ao arco de luz amarela que continha o anacronismo de uma bomba de gasolina Mobil?

No fim das contas, daqueles dois dias sem trégua talvez importasse apenas o transplante da narrativa de uma cabeça para outra, como um órgão sadio que minha mãe me cedera por afeto. Meu pai, com pouco mais de vinte anos, também a perseguira por aquele trecho de rua. Amalia contava que, ao senti-lo no seu encalço, assustou-se. Ele não era como os outros, que falavam dela, tentando lisonjeá-la. Ele falou de si mesmo: gabou-se das coisas extraordinárias de que era capaz; disse que queria pintar o retrato dela, talvez para provar que ela era bonita e ele, talentoso. Aludiu às cores que via em suas roupas. Quantas palavras que foram parar sabe-se lá onde. Minha mãe, que nunca encarava seus importunadores e, enquanto eles falavam, se segurava para não rir, nos dizia que o olhou de esguelha uma única vez e imediatamente entendeu tudo. Nós, as filhas, não entendíamos. Não entendíamos por que ela gostou dele. Nosso pai não nos parecia nem um pouco excepcional, era desleixado, gordo, careca, mal-lavado, vestia calças sujas de tinta que viviam caindo, sempre resmungando pelas mazelas cotidianas, pelo dinheiro que ganhava e que Amalia — como ele berrava para nós — jogava pela janela. No entanto, foi justamente aquele homem sem um ofício que minha mãe convidou para ir à sua casa, se ele quisesse conversar: ela não faria amor às escondidas, nunca o fizera com ninguém. E, enquanto ela pronunciava "fazer amor", eu a escutava, boquiaberta; gostava tanto da história daquele momento, sem que prosseguisse, interrompida naquele ponto, antes que continuasse e se estragasse. Eu guardava os sons e as imagens. Talvez eu estivesse debaixo daquele viaduto para que imagens e sons se aglutinassem novamente entre as pedras e a sombra, e, de novo, minha mãe, antes de se tornar minha mãe, fosse perseguida pelo homem com quem faria amor, que a cobriria com seu sobrenome, que a aniquilaria com seu alfabeto.

Apertei o passo depois de ter me certificado mais uma vez de que Caserta não estava me seguindo. O bairro, apesar do desaparecimento de uma série de detalhes (em cima do laguinho verde-musgo no qual eu ia brincar, surgira um edifício de oito andares), pareceu-me ainda reconhecível. As crianças uivavam pelas ruas desconexas como nos tempos antigos, no início de cada verão. Os mesmos gritos dialetais saíam das janelas escancaradas das casas. A disposição dos edifícios respeitava a mesma geometria sem imaginação. Sobreviveram até algumas pobres empresas comerciais de décadas anteriores: por exemplo, o porão onde comprei sabão e barrilha para minha mãe ainda abria sua portinhola no mesmo edifício descascado de tantos anos antes. Agora, na entrada, expunha vassouras de todo tipo, recipientes de plástico e caixas de detergente. Olhei lá dentro por um instante, achando que reencontraria naquele lugar a ampla caverna da minha memória. Ela, porém, fechou-se em cima de mim como um guarda-chuva quebrado.

O edifício em que meu pai morava ficava a poucos metros. Nasci naquela casa. Ultrapassei a grade e circulei com segurança entre os edifícios baixos e pobres. Entrei por um portão empoeirado, as lajotas do átrio desconexas, nada de elevador, o mármore dos degraus trincado e amarelado. O apartamento ficava no segundo andar, e eu não colocava os pés lá dentro havia pelo menos dez anos. Enquanto subia, tentei redesenhar sua planta para que o impacto com aquele espaço não me perturbasse demais. A casa tinha dois quartos e uma cozinha. A porta dava em um corredor sem janelas. No fundo, à esquerda, havia uma sala de jantar, irregular, com uma prateira para uma prataria que nunca possuímos, uma mesa usada para alguns almoços festivos e uma cama de casal na qual dormíamos eu e minhas irmãs depois de brigar para decidir qual das três devia se sacrificar e ficar no meio. Ao lado, ficava o banheiro, comprido, com uma janela estreita, guarnecido apenas de um vaso e um bidê móvel de metal esmaltado. Depois vinha a cozinha: a pia na qual, de manhã, nos lavávamos um por vez, um fogão de louça branca que rapidamente caiu em desuso, uma prateleira cheia de panelas que Amalia polia com atenção. Por fim, havia o quarto dos meus pais e, ao lado, um quartinho de despejo sem luz, sufocante, abarrotado de objetos inúteis.

No quarto do meu pai e da minha mãe era proibido entrar: o espaço era mínimo. Na frente da cama de casal, ficava um armário com uma porta central de espelho. Na parede direita, uma penteadeira com um espelho retangular. Do lado oposto, entre a beirada da cama e a janela, meu pai posicionara o cavalete, um objeto maciço, alto, com os pés grossos, perfurado por cupins, do qual pendiam trapos asquerosos para enxugar os pincéis. A poucos centímetros da beirada da cama, ficava uma caixa na qual eram jogados a esmo os tubos de tinta: o de tinta branca era o maior e mais fácil de identificar, mesmo quando havia sido apertado e enrolado até a boca filetada; mas muitos outros também eram distinguíveis, alguns por causa do nome de príncipe de fábula, como Azul da Prússia, outros por causa da aura de incêndio devastador, como Terra Queimada de Siena. A tampa da caixa era uma folha de compensado móvel sobre a qual ficava um jarro com os pincéis, outro com aguarrás, e um golfo de tintas que os pincéis misturavam, formando um mar multicolorido. As lajotas octogonais do chão naquela área haviam desaparecido embaixo de uma crosta cinza que gotejara dos pincéis ao longo dos anos. Em volta, havia rolos de telas prontas para uso, fornecidas ao meu pai por seus empregadores; os mesmos que, após terem dado a ele uns tostões, se ocupavam de distribuir o produto acabado para os revendedores ambulantes, que o ofereciam nas calçadas da cidade, nos mercadinhos de bairro, nas feirinhas dos vilarejos. A casa estava impregnada do cheiro das tintas a óleo e da terebintina, mas nós estávamos tão acostumados que não conseguíamos mais sentir. Amalia dormira com meu pai por quase duas décadas sem nunca se queixar.

Queixou-se, porém, quando ele parou de pintar retratos de mulheres para os marinheiros americanos ou vistas do golfo e começou a trabalhar na cigana seminua que dançava. Eu guardava uma lembrança confusa daquele período, induzida mais pelos relatos de Amalia do que por experiência própria: eu não tinha mais do que quatro anos. As paredes do quarto ficavam cheias de mulheres exóticas com cores fortes, entremeadas por esboços de nus tracejados com um pastel vermelho. Muitas vezes, as poses da cigana eram grosseiramente copiadas de algumas fotos de mulheres que meu pai escondia em uma caixa dentro do armário e eu bisbilhotava escondida. Outras vezes, certos esboços a óleo assumiam as formas dos nus feitos com sanguina.

Eu não tinha dúvida de que os esboços em pastel reproduziam o corpo da minha mãe. Imaginava que, à noite, quando eles fechavam a porta do quarto, Amalia tirava a roupa, fazia as poses das mulheres nuas das fotografias do armário e dizia: "Desenhe." Ele pegava um rolo de papel amarelado, arrancava um pedaço e desenhava. O que fazia melhor eram os cabelos. Deixava aquelas mulheres sem feições, mas, sobre o oval vazio do rosto, tracejava com eficácia uma composição majestosa, inequivocamente semelhante ao belo penteado que Amalia sabia fazer com suas longas madeixas. Eu ficava inquieta na cama, sem conseguir dormir.

Quando nosso pai terminou sua cigana, eu tinha certeza e Amalia também: a cigana era ela; menos bonita, as proporções erradas, as cores borradas, mas era ela. Caserta a viu e disse que não estava boa, não venderia. Parecia contrariado. Amalia interveio, disse que concordava. Nasceu uma discussão. Ela e Caserta se uniram contra meu pai. Eu ouvia as vozes deles, as quais desciam pelas escadas. Quando Caserta foi embora, meu pai, sem aviso prévio, bateu em Amalia duas vezes no rosto com a mão direita, primeiro com a palma, depois com o dorso. Eu me lembrava com precisão daquele gesto, com seu movimento ondulante, que primeiro vai e depois volta: foi a primeira vez que o vi fazer aquilo. Ela fugiu para o fundo do corredor, para o quartinho de despejo, e tentou se trancar ali dentro. Foi tirada de lá a chutes. Um deles a acertou na lateral e a jogou contra o armário do quarto. Amalia levantou-se e arrancou todos os desenhos das paredes. Foi alcançada, agarrada pelos cabelos e empurrada de cabeça contra o espelho do armário, que se quebrou.

A cigana fez muito sucesso, sobretudo nas feiras da província. Haviam se passado quarenta anos e meu pai continuava a pintá-la. Com o tempo, tornara-se rapidíssimo. Fixava a tela branca no cavalete e esboçava os contornos com a mão já treinada. Depois o corpo se tornava de bronze com brilhos avermelhados. O ventre se arqueava, as mamas se dilatavam, os mamilos se erguiam. Enquanto isso, despontavam olhos brilhantes, lábios vermelhos, cabelos corvinos em quantidade e no mesmo penteado de Amalia, que, com o tempo, tornou-se antiquado, mas sugestivo. Em poucas horas, a tela era finalizada. Ele tirava as tachinhas que a prendiam, fixava-a em uma parede para que secasse e punha outra no cavalete, nova e branca. E, então, recomeçava.

Durante a adolescência, eu via aquelas figuras de mulher saírem de casa nas mãos de estranhos que muitas vezes não poupavam comentários vulgares em dialeto. Eu não entendia, ou talvez não houvesse nada a ser entendido. Como era possível que meu pai entregasse, em versões atrevidas e sedutoras, a homens vulgares, aquele corpo que, se necessário, ele defendia com raiva assassina? Como ele o forçava a assumir poses despudoradas quando, por causa de um sorriso ou de um olhar insubmisso, podia atacar como uma fera, sem piedade? Por que abandonava dezenas, centenas de cópias daquele corpo pelas ruas e em casas de estranhos quando tinha tanto ciúme do original? Eu olhava para Amalia, debruçada sobre a máquina de costura até tarde da noite. Achava que, enquanto trabalhava daquele jeito, muda e aflita, ela também se fazia aquelas perguntas.

A porta do apartamento estava entreaberta. Senti-me hesitante e, por isso, entrei com tanta decisão que a porta bateu na parede com estrondo. Não houve reação. Atingiu-me apenas um cheiro intenso de tinta e cigarro. Entrei no quarto com a sensação de que o resto do apartamento fora destruído pelos anos. Todavia, tinha certeza de que, naquele quarto, tudo permanecera inalterado: a cama de casal, o armário, a penteadeira com o espelho retangular, o cavalete ao lado da janela, as telas enroladas em todos os cantos, os mares revoltos, as ciganas e os idílios campestres. Meu pai, grande e curvado, estava de costas, de regata. O crânio pontudo estava calvo, com manchas escuras. A nuca, coberta por uma cabeleira branca.

Desloquei-me levemente para a direita a fim de ver na luz certa a tela em que ele estava trabalhando. Pintava com a boca aberta, os óculos perto da ponta do nariz. Na mão direita, segurava o pincel que, depois de leves toques entre as tintas, se movia com segurança pela tela; entre o indicador e o dedo médio da mão esquerda, segurava um cigarro aceso, composto até a metade de cinzas prestes a caírem no chão. Após algumas pinceladas, recuava e ficava imóvel por longos segundos; depois emitia uma espécie de "ah", um leve sobressalto sonoro, e recomeçava a misturar tintas e a fumar o cigarro. O quadro não estava muito avançado: o golfo esmorecia em uma mancha azul-clara; o Vesúvio sob um céu vermelho-fogo estava mais trabalhado.

— O mar não pode ser azul-claro se o céu for vermelho-fogo — falei.

Meu pai se virou e me olhou por cima dos óculos.

— Quem é você? — perguntou em dialeto, hostil na expressão e no tom.

Estava com grandes bolsas arroxeadas embaixo dos olhos. A lembrança mais recente que eu tinha dele teve dificuldade para aderir àquele rosto amarelado, afogado em emoções não digeridas.

— Delia — respondi.

Ele pôs o pincel em um dos jarros. Levantou-se da cadeira com um longo lamento gutural e se virou para mim com as pernas abertas, o tronco inclinado, esfregando as mãos sujas de tinta nas calças frouxas. Olhou-me com crescente perplexidade. Depois disse, sinceramente admirado:

— Você ficou velha.

Percebi que ele não sabia se me abraçava, se me beijava, se me convidava para sentar ou se começava a gritar e me expulsava de sua casa. Estava surpreso, mas não de maneira agradável: sentia que eu era uma presença fora de lugar, talvez nem tivesse certeza de que eu era sua filha mais velha. Nas raras vezes que nos vimos depois que ele se separou de Amalia, brigamos. Na cabeça dele, sua verdadeira filha deveria ter ficado presa em uma adolescência petrificada, muda e obsequiosa.

— Já vou embora — tranquilizei-o. — Só passei para saber da minha mãe.

— Morreu — disse ele. — Eu estava pensando nisso, que ela morreu antes de mim.

— Ela se matou — pronunciei com clareza, mas sem ênfase.

Meu pai fez uma careta, e percebi que lhe faltavam os incisivos superiores. Os de baixo haviam se tornado compridos e amarelos.

— Ela foi nadar em Spaccavento — murmurou —, à noite, como uma garotinha.

— Por que você não foi ao enterro?

— Quando alguém morre, morre.

— Devia ter ido.

— Você irá ao meu?

Pensei por um instante e respondi:

— Não.

As grandes bolsas embaixo dos olhos dele ficaram vermelhas.

— Você não irá porque vou morrer depois de você — murmurou ele.

Depois, sem que eu conseguisse prever, me deu um murro.

Recebi o golpe no ombro esquerdo e tive dificuldade em controlar a parte de mim aniquilada por aquele gesto. A dor física, por sua vez, não me pareceu grande coisa.

— Você é uma vagabunda igual à sua mãe — disse, ofegante, e se agarrou à cadeira para não cair. — Vocês me deixaram aqui como um bicho.

Procurei a voz na garganta e, só quando tive certeza de tê-la, perguntei:

— Por que foi à casa dela? Você a atormentou até o fim.

Ele tentou me acertar novamente, mas dessa vez eu estava preparada: não conseguiu e ficou com mais raiva.

— O que ela pensava de mim? — começou a gritar. — Eu nunca sabia o que ela pensava. Era mentirosa. Todas vocês eram mentirosas.

— Por que foi à casa dela? — repeti com calma.
Ele disse:
— Para matá-la. Porque ela achava que ia aproveitar a velhice e me deixar apodrecendo aqui neste quarto. Olhe o que eu tenho aqui embaixo. Olhe.

Levantou o braço direito e mostrou a axila. Tinha pústulas arroxeadas entre os pelos enrolados de suor.

— Você não vai morrer por causa disso — declarei.

Abaixou o braço, esgotado pela tensão. Tentou endireitar o tronco, mas a coluna só se ergueu uns poucos centímetros. Ficou com as pernas abertas, uma das mãos agarrada à cadeira, um sibilo catarrento saindo do peito. Talvez ele também pensasse que, no mundo, naquele momento, tivesse sobrado apenas aquele chão, apenas aquela cadeira à qual se apoiava.

— Eu os segui por uma semana — murmurou. — Ele chegava toda noite às seis, bem-vestido, de paletó e gravata: parecia um figurino. Depois de meia hora, saíam. Ela usava sempre os seus quatro trapos habituais, mas os ajustava para parecer jovem. Sua mãe era uma mulher mentirosa, sem sensibilidade. Caminhava ao lado dele, e os dois conversavam. Depois entravam em um restaurante ou no cinema. Saíam de braços dados, e ela fazia aqueles trejeitos típicos sempre que via um homem: a voz de um jeito, a mão de outro, a cabeça para cá, os quadris para lá.

Enquanto falava, agitava frouxamente uma das mãos na altura do peito, balançava a cabeça e piscava, projetava os lábios, rebolava com desprezo. Estava mudando de estratégia. Antes queria me assustar, agora queria me divertir ridicularizando Amalia. Mas não tinha nada dela, de nenhuma das Amalias que havíamos inventado para nós, nem mesmo das piores. E não tinha nada de divertido. Era somente um homem velho destituído de qualquer humanidade pela insatisfação e pela ferocidade. Talvez esperasse um pouco de cumplicidade, um esboço de sorriso. Recusei-me. Em vez disso, concentrei todas as energias em reprimir meu asco. Ele percebeu e ficou sem graça. Estava na frente da tela em que trabalhava, e me dei conta de repente de que, com aquele céu vermelho-fogo, estava tentando pintar uma erupção.

— Você, como sempre, a humilhou — falei.

Meu pai balançou a cabeça, confuso, e voltou a se sentar com um longo gemido.

— Fui dizer a ela que não queria mais viver sozinho — murmurou e olhou com despeito a cama ao seu lado.

— Você queria que ela voltasse a viver com você?

Ele não respondeu. Pela janela, entrava uma luz alaranjada que batia no vidro, refletia no espelho do armário e se expandia pelo quarto, tornando nítidas sua desordem e esqualidez.

— Tenho muito dinheiro guardado — disse ele. — Falei para ela: tenho muito dinheiro.

Acrescentou outras coisas que não ouvi. Enquanto ele falava, vi de esguelha, embaixo da janela, o quadro que eu tinha admirado quando garota na vitrine das irmãs Vossi. As duas mulheres gritando com os perfis que quase coincidiam — jogadas da direita para a esquerda em um movimento mutilado de mãos, pés, partes das cabeças, como se o quadro não tivesse conseguido contê-las ou tivesse sido grosseiramente serrado — tinham ido parar ali, naquele quarto, entre os mares revoltos, as ciganas e as pastorinhas. Soltei um longo suspiro de esgotamento.

— Caserta deu isso para você — falei, apontando para a pintura.

Então percebi que tinha errado: não fora a sra. De Riso que contara ao meu pai sobre Caserta e Amalia. Fora o próprio Caserta. Ele tinha ido até ali, dado ao meu pai aquele presente desejado havia anos, falado de si, dito que a velhice era árdua, que o filho o jogara na sarjeta, que entre ele e Amalia sempre houve uma amizade devota e respeitosa. E meu pai acreditara. E talvez tenha falado de si mesmo. E, sem dúvida, descobriram-se desolados e solidários na miséria. Senti que eu era um objeto misteriosamente em equilíbrio no meio do quarto.

Meu pai se agitou na cadeira.

— Amalia era uma mentirosa — desabafou —, nunca me disse que você não viu nem ouviu nada.

— Você morria de vontade de dar uma surra em Caserta. Queria se livrar dele achando que, com as ciganas, você finalmente fosse ganhar dinheiro. Achava que Amalia gostava dele. Quando eu disse que os vira juntos no porão da confeitaria, você já tinha imaginado mais do que eu estava dizendo. O que falei serviu só para que você se justificasse.

Fitou-me, surpreso.

— Você se lembra? Eu não me lembro de mais nada.

— Lembro-me de tudo ou quase tudo. Só me faltam as palavras de então. Mas guardo o horror e o sinto novamente cada vez que alguém nesta cidade abre a boca.

— Eu achava que você não se lembrava — murmurou.

— Eu lembrava, mas não conseguia contar a mim mesma.

— Você era pequena. Como eu podia imaginar...

— Você podia imaginar. Você sempre soube imaginar quando o assunto era magoá-la. Você procurou Amalia para vê-la sofrer. Disse a ela que foi Caserta quem procurou você especialmente para contar sobre eles dois. Disse que ele falou de mim, de como eu havia mentido quarenta anos antes. Descarregou em cima dela toda a culpa. E acusou-a de ter feito uma filha doente e mentirosa.

Meu pai tentou se levantar outra vez.

— Você já era nojenta desde criança — gritou. — Foi você que forçou sua mãe a me deixar. Vocês me usaram e depois me jogaram fora.

— Você arruinou a vida dela — rebati. — Nunca a ajudou a ser feliz.

— Feliz? Eu também nunca fui feliz.

— Eu sei.

— Ela achava Caserta melhor do que eu. Você se lembra dos presentes que ela ganhava? Sabia perfeitamente que era Caserta quem os mandava por interesse próprio, para se vingar: hoje, uma fruta; amanhã, um livro; depois, um vestido; em seguida, flores. Ela sabia que ele fazia aquilo para que eu suspeitasse dela e a massacrasse. Bastava que ela recusasse os presentes. Mas ela não recusava. Pegava as flores e as colocava em um vaso. Lia o livro sem nem se esconder. Punha o vestido e saía. Depois apanhava sem reagir até sangrar. Eu não podia confiar nela. Não entendia o que ela escondia na mente, o que pensava.

Murmurei, indicando o quadro atrás dele.

— Nem você sabe resistir aos presentes de Caserta.

Ele se virou para olhar a pintura, incomodado.

— Fui eu que pintei — disse. — Não é um presente. É meu.

— Você nunca teria sido capaz — murmurei.

— Pintei quando moço — insistiu, e tive a impressão de que estava suplicando para que eu acreditasse. — Vendi o quadro para as irmãs Vossi em 1948.

Sentei-me na cama sem que ele me convidasse, ao lado da sua cadeira. Disse com ternura:

— Vou embora.

Ele se sobressaltou.

— Espere.

— Não — falei.

— Não vou incomodar você. Podemos viver bem juntos. No que você trabalha?

— Histórias em quadrinhos.

— Pagam bem?

— Não tenho grandes exigências.

— Tenho dinheiro guardado — repetiu.

— Estou acostumada a viver com pouco

Pensei em expulsá-lo da área infantil da minha memória abraçando-o ali, naquele momento, para torná-lo humano como talvez realmente fosse, apesar de tudo. Não tive tempo. Ele me acertou de novo, no peito. Fingi não sentir dor. Empurrei-o, me levantei e saí sem nem sequer olhar para o outro lado do corredor.

— Você também está velha — gritou atrás de mim. — Tire esse vestido. Está horrível.

No caminho para a porta, senti-me em equilíbrio precário sobre uma tábua de madeira do chão da casa de quarenta anos antes: ela ainda conseguia sustentar meu pai, seu cavalete, o quarto, mas temi que meu peso pudesse fazê-la desmoronar. Saí depressa para o corredor e encostei a porta com cautela. Já na rua, olhei meu vestido. Descobri só então, com desgosto, que, na altura do púbis, havia uma grande mancha com a beirada esbranquiçada. O tecido estava mais escuro naquele ponto e, ao toque, parecia engomado.

Atravessei a rua. Na esquina, reconheci facilmente o "Coloniali", que havia sido do pai de Caserta. Estava fechado com duas tábuas cruzadas por cima de uma porta de ferro enrolada de um lado como a beirada da página de um livro. No alto, havia um letreiro manchado de lodo no qual se lia com dificuldade: "Fliperama". Do triângulo negro, aberto na porta de ferro dilapidada, saiu um gato de olhos amarelos com o rabo de um rato se agitando entre os seus lábios: olhou para mim alarmado e, depois, se esgueirou entre a porta de ferro e as tábuas, afastando-se.

Caminhei ao longo da parede do edifício. Achei as saídas de ar dos porões. Estavam exatamente como eu lembrava: aberturas retangulares a meio metro da calçada, sulcadas por nove barras e cobertas por uma densa retícula. De dentro saía um ar fresco e um cheiro de umidade e poeira. Olhei para o interior protegendo os olhos e tentando me acostumar à escuridão. Não vi nada.

Voltei à entrada da loja e examinei a rua. Havia um vozerio infantil inquieto em uma rua que, com sua esqualidez ao crepúsculo, não me tranquilizava. O ar quente estava impregnado de um forte cheiro de gás vindo das refinarias. A água das poças, coroada por bandos de insetos. Na calçada em frente, crianças entre quatro e cinco anos apostavam corrida em triciclos de plástico. Pareciam estar sendo displicentemente vigiadas por um homem de uns cinquenta anos, calça apertada na barriga embaixo de uma regata amarelada muito protuberante. Ele tinha braços maciços, torso longo e peludo, pernas curtas. Estava encostado na parede, ao lado de uma barra de ferro que parecia não lhe pertencer: tinha uns setenta centímetros de comprimento, afiada na ponta — a sobra de uma velha grade abandonada ali por algum garoto que a pegou no lixo para brincar perigosamente. O homem fumava um charuto e me observava.

Atravessei a rua e perguntei em dialeto se me daria uns fósforos. Ele tirou devagar do bolso uma caixa de fósforos de cozinha e a estendeu para mim, olhando ostensivamente a mancha no vestido. Peguei cinco, um por vez, como se seu olhar não me envergonhasse. Ele me perguntou em um tom inexpressivo se eu também queria um charuto. Agradeci: eu não fumava charutos nem cigarros. Então ele me disse que não era bom eu circular por ali sozinha. Aquele lugar não era seguro: tinha uma gente ruim que perturbava até as crianças. Indicou-os, agarrando a barra de ferro e girando-a rapidamente na direção deles. Estavam se xingando em dialeto.

— Filhos ou netos? — perguntei.

— Filhos e netos — respondeu pacatamente. — O primeiro que tentar encostar neles morre.

Agradeci novamente e atravessei de volta a rua. Passei por cima de uma das tábuas, curvei-me e entrei no triângulo escuro do outro lado da porta de ferro.

Tentei me orientar como se tivesse na frente do balcão com as cenas exóticas pintadas por meu pai tantos anos antes. Achava-o enorme, alto a ponto de ter pelo menos cinco centímetros a mais do que eu. Depois me dei conta de que, desde a época em que parava na frente daquele espaço cheio de alcaçuz e amêndoas açucaradas, eu havia crescido pelo menos setenta centímetros. Imediatamente, a parede de madeira e metal que, por um instante, teve quase dois metros de altura, despencou até a altura dos meus quadris. Contornei-a com cautela. Até levantei o pé para subir no estrado de madeira atrás do balcão, mas foi inútil: obviamente não havia nem balcão nem estrado. Eu arrastava as solas no chão, tateando ao avançar, e não encontrava nada, só detritos e alguns pregos.

 Decidi acender um fósforo. O ambiente estava vazio e não havia memória capaz de preenchê-lo: só uma cadeira tombada me separava da abertura que levava ao espaço no qual o pai de Caserta guardava suas máquinas para fabricar doces e sorvetes. Deixei o fósforo cair para não me queimar e entrei na antiga confeitaria. Ali, ao contrário da parede da direita, vazia, a da esquerda tinha três aberturas retangulares no alto, com barras e protegidas pela retícula. O lugar tinha luz suficiente para permitir que eu distinguisse com clareza uma cama dobrável e, em cima dela, um corpo escuro, deitado como se dormisse.

Pigarreei para anunciar minha presença, mas nada aconteceu. Acendi outro fósforo, aproximei-me e estendi uma das mãos em direção à sombra deitada na cama. Bati com o quadril em um caixote do tipo usado para frutas. Algo rolou pelo chão, mas a silhueta não se mexeu. Ajoelhei-me, com a chama lambendo a ponta dos dedos. Tateando, achei no chão o objeto que eu tinha ouvido cair. Era uma lanterna de metal. O fósforo se apagou. Com o feixe da lanterna, identifiquei um saco de plástico preto, abandonado em cima da cama como uma pessoa dormindo. Sobre o colchão sem lençol, estavam espalhadas uma combinação e algumas calcinhas velhas de Amalia.

— Você está aqui? — perguntei com uma voz rouca, mal controlada.

Não houve resposta. Girei o feixe da lanterna. Em um canto, uma corda fora esticada de uma parede a outra. Nela, estavam pendurados cabides de plástico com duas camisas, um paletó cinza, as calças correspondentes dobradas com cuidado e um casaco impermeável. Examinei as camisas: eram da mesma marca da que eu havia encontrado na casa da minha mãe. Então comecei a revistar os bolsos do paletó e achei uns trocados, sete fichas telefônicas, uma passagem de segunda classe Nápoles–Roma via Formia com data de 21 de maio, três passagens de transporte público usadas, duas balas de fruta, o recibo de um hotel de Formia (conta única para dois quartos individuais), três recibos de três bares diferentes e a nota fiscal de um restaurante de Minturno. A passagem de trem havia sido emitida no mesmo dia em que minha mãe partiu de Nápoles. A conta do hotel e a nota fiscal do restaurante, por sua vez, informavam a data do dia 22. O jantar de Caserta e Amalia fora luxuoso: dois couverts, seis mil liras; dois antepastos de frutos do mar, trinta mil liras; dois *gnocchetti* com camarões, vinte mil liras; dois grelhados mistos de peixe, quarenta mil liras; dois acompanhamentos, oito mil liras; dois sorvetes, doze mil liras; dois vinhos, trinta mil liras.

Muita comida, vinho. Minha mãe comia pouquíssimo, e um gole de vinho logo a deixava tonta. Pensei novamente nos seus telefonemas para mim, nas obscenidades que me dissera: talvez não estivesse aterrorizada, talvez estivesse apenas alegre; talvez alegre e aterrorizada. Amalia tinha a imprevisibilidade de uma flecha, eu não podia lhe impor a armadilha de um único adjetivo. Tinha viajado com um homem que a atormentara pelo menos tanto quanto o marido e que continuava sutilmente a fazê-lo. Com ele, saiu da linha que ligava Nápoles a Roma e fez um desvio para um quarto de hotel, numa praia à noite. Não devia ter ficado excessivamente perturbada quando o fetichismo de Caserta emergiu com maior determinação. Eu a sentia ali, na penumbra, como se estivesse naquele saco em cima da cama, contraída e curiosa, mas sem sofrimento. Sem dúvida sentiu mais dor ao descobrir que aquele homem continuava a segui-la com perversa insistência, como fizera anos antes ao enviar-lhe presentes sabendo que a estava expondo à brutalidade do marido. Eu a imaginava desorientada ao descobrir que Caserta estivera na casa do meu pai para falar dela e do tempo que passavam juntos. Eu a via surpresa porque meu pai não matou seu suposto rival, como sempre ameaçou fazer, mas, ao contrário, ouviu-o pacatamente para depois começar a espioná-la, maltratá-la, ameaçá-la, para tentar voltar a impor sua proximidade. Ela partiu às pressas, provavelmente com a certeza de estar sendo seguida pelo ex-marido. Na rua, acompanhada por De Riso, devia estar convencida disso. Já no trem, suspirou de alívio e, quem sabe, esperou que Caserta aparecesse para se explicar, para entender. Eu a imaginava confusa e determinada, ancorada apenas à mala que continha os presentes para mim. Interrompi os devaneios e pus de volta nos bolsos do paletó de Caserta todos aqueles sinais do percurso deles. No fundo, entre as costuras, havia areia.

Quando voltei a mim, me faltou ar. O feixe da lanterna, girando, atravessou uma silhueta feminina em pé, encostada na parede em frente à cama. Reconduzi o círculo de luz até aquela imagem. Pendurado em um cabide preso à parede com um prego, estava, em perfeita ordem, o tailleur azul-escuro que minha mãe usava quando partiu: blazer e saia de um tecido tão resistente que Amalia, durante décadas, conseguiu adaptar, com ligeiras intervenções, a todas as circunstâncias que julgava importantes. As duas peças foram colocadas no cabide como se a pessoa que as vestira tivesse escorregado para fora das roupas por apenas um instante, prometendo voltar logo. Embaixo do blazer estava uma velha blusa azul-clara que eu conhecia bem. Enfiei, hesitante, a mão no decote e achei um dos sutiãs fora de moda de Amalia preso com um alfinete de fralda à blusa. Também mexi embaixo da saia: lá estava sua calcinha remendada. No chão, vi os sapatos gastos e fora de moda que pertenceram a ela, com o saltinho várias vezes refeito, e, por cima, a meia-calça caindo como um véu.

Sentei-me na beirada da cama. Eu precisava tentar impedir que o tailleur se soltasse da parede. Queria que cada uma daquelas peças ficasse ali, imóvel, e consumisse o resíduo de energia que Amalia abandonara nelas. Deixei que cada ponto se descosturasse, que o tecido azul-escuro voltasse a ser sem corte, com cheiro de novo, mal tocado por Amalia que, jovem, usando um vestido americano com flores vermelhas e azuis, ainda escolhia entre as peças enroladas em uma loja com forte cheiro de tecido. Discutia com alegria. Ainda estava planejando costurá-lo por conta própria, passando a mão pela ourela, levantando uma ponta para avaliar o viés. Mas não fui capaz de detê-la por muito tempo. Amalia já trabalhava animadamente. Estendia sobre o tecido o papel que reproduzia as partes do seu corpo. Prendia-o com alfinetes, pedaço após pedaço. Cortava o pano, estendendo-o com o polegar e o dedo médio da mão esquerda. Alinhavava. Costurava com pontos espaçados. Media, descosturava, costurava novamente. Forrava. Ah, eu ficava fascinada com a sua arte de construir um duplo. Eu via a roupa crescer como outro corpo, um corpo mais acessível. Quantas vezes entrei, sorrateira, no armário do quarto, fechei a porta, fiquei no escuro entre as suas roupas, embaixo da saia cheirosa daquele tailleur, respirando o corpo dela, revestindo-o em mim? Encantava-me o fato de ela saber extrair uma pessoa da urdidura e da trama, uma máscara que se alimentava de tepidez e aroma, que parecia figura, teatro, conto. Mesmo que ela nunca tenha me deixado tocá-la, aquela sua silhueta foi certamente, até o início da minha adolescência, generosa de sugestões, imagens, prazeres. O tailleur era vivo.

Caserta devia pensar a mesma coisa. O corpo dele certamente havia repousado sobre aquela roupa, quando, no último ano, nasceu entre eles um entrosamento senil que eu não conseguia avaliar em toda a sua intensidade e em todas as suas implicações. Com aquela roupa, Amalia partira às pressas, agitada após as revelações do meu pai, desconfiada, temendo ainda ser espionada. Com aquela roupa, o corpo dela havia tocado em Caserta quando ele se sentou repentinamente ao seu lado no trem. Haviam marcado um encontro? Eu os via juntos, encontrando-se no vagão, longe do olhar da sra. De Riso. Amalia ainda esbelta, magra, com o penteado antiquado; ele alto, enxuto, bem-cuidado: um belo casal de idosos. Mas talvez não houvesse acordo nenhum entre eles. Caserta a seguiu até o trem por iniciativa própria, sentou-se ao seu lado, começou a falar, cativante como parecia capaz de ser. Afinal, a despeito do desfecho, eu duvidava que Amalia fosse aparecer na minha casa com ele. Talvez Caserta só tenha se oferecido para acompanhá-la durante a viagem; talvez, na rua, ela tivesse começado a falar das nossas férias de verão; talvez, como vinha acontecendo com ela nos últimos meses, tivesse começado a perder o sentido das coisas, a se esquecer do meu pai, a esquecer que o homem sentado ao seu lado era obcecado por ela, pela sua pessoa, pelo seu corpo, pelo seu modo de ser, mas também por uma vingança cada vez mais abstrata, cada vez menos concretizável, puro fantasma entre os vários fantasmas da velhice.

Ou não: ela continuava a ter plena consciência dele e já projetava, como fazia com as roupas, o corte que daria aos últimos eventos da sua existência. De qualquer maneira, a meta mudou de repente, não por vontade de Caserta. Foi certamente Amalia quem o convenceu a desembarcar em Formia. Ele não podia ter nenhum interesse em voltar aos lugares em que nós (meu pai, ela, eu, minhas irmãs) havíamos tomado banho de mar nos anos cinquenta. Era possível, porém, que Amalia, convencida de que meu pai insistia em espioná-la escondido sabe-se lá onde, tivesse decidido arrastar aquele olhar por percursos capazes de petrificá-lo.

Comeram em algum bar, beberam, sem dúvida começou entre eles uma nova brincadeira que Amalia não previra, mas que a seduzia. A primeira ligação que ela fez para mim demonstrava uma confusão que a excitava e, ao mesmo tempo, a desorientava. E, embora tivessem pedido quartos separados no hotel, a segunda ligação me fazia duvidar do fato de Amalia ter se trancado em seu quarto. Eu senti naquela velha roupa para grandes ocasiões a força que a empurrava para fora de casa, para longe de mim, com o risco de nunca mais voltar. Eu via no tecido azul-escuro a noite do quartinho de despejo ao lado do seu quarto, onde eu me trancava para combater com terror o terror de perdê-la para sempre. Não, Amalia não ficou no próprio quarto.

No dia seguinte, chegaram juntos a Minturno, provavelmente de trem, talvez de ônibus. À noite, jantaram sem se preocupar com gastos, alegremente, a ponto de pedirem duas garrafas de vinho. Depois foram passear na praia. Eu sabia que, na praia, minha mãe usara as roupas que tivera intenção de me dar em um primeiro momento. Talvez tenha sido Caserta que a convenceu a se despir e pôr o vestido, a roupa íntima, o robe que ele havia afanado da loja Vossi para ela. Talvez Amalia o tenha feito espontaneamente, desinibida pelo vinho, obcecada pela vigilância neurótica do ex-marido. Violência estava fora de cogitação: a violência que a autópsia podia apurar não fora apurada.

Eu a via deslizar para fora do seu velho tailleur e tinha a impressão de que a roupa permanecia rígida e desolada, suspensa na areia fria como estava naquele momento, encostada na parede. Eu a via enquanto se esforçava para entrar na roupa íntima luxuosa, nas peças juvenis demais, cambaleante de embriaguez. Eu a via até quando, exausta, não se cobriu com o robe de cetim. Devia ter percebido que algo se desmanchara para sempre com meu pai, com Caserta, talvez também comigo, quando decidiu mudar de itinerário. Ela mesma havia se desmanchado: os telefonemas que fez para mim, muito provavelmente em companhia de Caserta; com o alegre desespero deles, talvez quisesse apenas me indicar a confusão da situação em que se encontrava, a desorientação que estava vivenciando. Entrar nua na água certamente foi uma escolha dela. Eu a sentia imaginando-se presa entre quatro pupilas, expropriada por dois olhares. E eu a sentia descobrir, exausta, que meu pai não estava lá, que Caserta perseguia suas fantasias de velho senil, que os espectadores daquela encenação estavam ausentes. Abandonou o robe de cetim, ficou apenas com o sutiã Vossi. Caserta provavelmente estava ali e olhava sem ver. Mas eu não tinha certeza. Talvez já tivesse ido embora com as roupas de Amalia. Ou talvez ela mesma o tivesse obrigado a ir. Eu duvidava de que ele tivesse levado vestidos e roupas íntimas por escolha própria. Por outro lado, tinha certeza de que Amalia mandou que ele me entregasse os presentes, o que ele prometeu fazer: a última negociação para obter a roupa íntima velha de que ele tanto gostava. Eles deviam ter falado de mim, do que eu fiz quando criança. Ou talvez eu já fizesse parte da brincadeirinha sádica conduzida por Caserta havia tempo. Sem dúvida, eu era uma parte preponderante dos seus fantasmas senis, e ele queria se vingar de mim como se eu fosse a menina de quarenta anos antes. Eu imaginava Caserta na areia, transtornado pelo barulho da ressaca e pela umidade, tão desorientado quanto Amalia, tão embriagado quanto ela, incapaz de entender a que ponto a brincadeira havia chegado. Fiquei com medo de ele nem ter se dado conta de que o rato com o qual se divertiu por boa parte da vida estava fugindo para se afogar.

24

Levantei-me da cama sobretudo para não ver mais a silhueta azul-escura pendurada na parede à minha frente. Distingui os degraus que levavam à porta do pátio do edifício. Eram cinco, eu lembrava bem: Antonio e eu brincávamos de pulá-los enquanto seu avô preparava os doces. Contei-os ao subir. Quando cheguei lá em cima, percebi com surpresa que a porta não estava fechada, mas encostada: a fechadura estava quebrada. O velho obviamente entrava e saía por ali. Abri a porta e me vi no saguão: de um lado, o portão que dava no pátio, do outro, a escadaria no topo da qual, antigamente, ficava o apartamento de Caserta. Subindo aqueles degraus, tio Filippo e meu pai o haviam perseguido para matá-lo. Primeiro ele procurou se defender, depois desistiu.

Olhei para o alto, da base da escadaria, e senti dor no pescoço. Eu tinha um olhar velho, de décadas passadas, que queria me mostrar mais do que eu podia ver naquele momento. A narrativa, fragmentada em mil imagens incoerentes, tinha dificuldade para se adaptar às pedras e ao ferro. Por outro lado, a violência se realizava naquele instante, agarrada ao corrimão da escadaria, e eu tinha a impressão de que havia ficado ali — ali e não em outro lugar — durante quarenta anos, gritando. Caserta desistiu de se defender não por falta de força ou admissão de culpa ou covardia, mas porque tio Filippo, no quarto andar, pegou Antonio — sim, foi isso — e o suspendeu pelos tornozelos, xingando em um dialeto hostil, o idioma da minha mãe. Meu tio era jovem, ainda com os dois braços, e ameaçava largar o menino se Caserta fizesse menção de se mexer. A tarefa do meu pai era fácil.

Deixei a porta aberta e entrei novamente no porão. Com a lanterna, procurei a portinha que levava ao nível mais baixo daquele andar subterrâneo. Eu lembrava que era de ferro pintado, talvez de marrom. Encontrei uma portinhola de madeira com não mais do que cinquenta centímetros de altura: mais um postigo do que uma porta, entreaberto, com um aro de metal na folha e outro no alizar. No último, estava enfiado um cadeado aberto.

Ao ver aquilo, tive de admitir imediatamente que a imagem de Caserta e Amalia tentando entrar ou sair por ali de pé e radiantes, às vezes de braços dados, às vezes de mãos dadas, ela de tailleur, ele com o capote de lã de camelo, era uma mentira da memória. Eu e Antonio também, quando passávamos ali, tínhamos de nos curvar. A infância é uma fábrica de mentiras que perduram no imperfeito: a minha, pelo menos, havia sido assim. Eu ouvia o vozerio das crianças na rua e não achava que elas eram diferentes de como eu fora: berravam no mesmo dialeto, mas cada uma delas ouvia algo diferente. Eram invenções, criadas enquanto passavam a noite na calçada esquálida sob o olhar do homem de regata. Corriam com os triciclos e trocavam insultos entremeados por gritos lancinantes de alegria. Insultos de teor sexual: na gíria obscena delas, inseria-se vez por outra, com obscenidades ainda piores, a voz do homem com a barra de ferro.

Soltei um leve gemido. Ouvi-me repetindo para Antonio palavras não diferentes das que eu estava ouvindo atrás daquela portinhola, no espaço negro do porão; e ele as repetia para mim. Mas eu mentia enquanto as dizia. Fingia não ser eu. Não queria ser "eu", a menos que fosse o eu de Amalia. Fazia o que imaginava que Amalia fizesse em segredo. E, por falta de percursos seus dos quais eu pudesse fazer parte, impunha a ela os meus percursos de casa até o "Coloniali" do velho Caserta. Ela saía de casa, virava a esquina, empurrava a porta de vidro, experimentava cremes, esperava seu companheiro de brincadeiras. Eu era eu e era ela. Eu-ela nos encontrávamos com Caserta. Na verdade, não era o rosto de Antonio que eu via quando ele aparecia na porta do pátio, mas o que, nele, havia do rosto adulto de seu pai.

Eu amava Caserta com a intensidade com que imaginava que minha mãe o amasse. E eu o detestava, porque a fantasia daquele amor secreto era tão vívida e concreta que eu sentia que jamais poderia ser amada da mesma maneira: não por ele, mas por ela, por Amalia. Caserta havia tomado tudo o que cabia a mim. Ao girar em volta do balcão pintado, eu me mexia como ela, falava sozinha imitando sua voz, piscava, ria do modo que meu pai não queria que ela risse. Depois subia no estrado de madeira e entrava com movimentos femininos na confeitaria. O avô de Antonio espremia ondas de creme do saco de tecido e me fitava com olhos profundos, velados pelo calor dos fornos.

Abri a portinhola e joguei o feixe de luz da lanterna lá dentro. Agachei-me, joelhos no peito, cabeça reclinada. Curvada daquela maneira, arrastei-me pelos degraus escorregadios. Aceitei, ao longo do percurso, contar tudo a mim mesma, todas as verdades guardadas pelas mentiras.

Eu era sem dúvida Amalia quando, um dia, encontrei a confeitaria vazia e a portinhola aberta. Eu era a Amalia que, nua como uma cigana pintada pelo meu pai, circundada havia semanas por insultos, juras e ameaças, esgueirava-se no porão escuro com Caserta. Eu era, no imperfeito. Eu me sentia ela, com seus pensamentos, livre e feliz, fugitiva da máquina de costura, das luvas, da agulha e da linha, do meu pai, das suas telas, do papel amarelado no qual ela foi parar em rabiscos vermelho-sangue. Eu era idêntica a ela, mas sofria pela incompletude daquela identidade. Àquela altura, só conseguíamos ser "eu" na brincadeira, e eu sabia.

Mas eis que, curvo, no final dos três degraus após a portinhola, Caserta me lançou um olhar enviesado e disse:

— Venha.

Enquanto eu inventava para mim mesma que sua voz, depois daquele verbo, também pronunciara "Amalia", ele passou suavemente um dedo nodoso e sujo de creme na minha perna, embaixo do vestidinho que minha mãe havia costurado para mim. Aquele contato me causou prazer. E percebi que aconteciam detalhadamente na minha cabeça as obscenidades que aquele homem murmurava com voz rouca, tocando-me. Eu as memorizava, e parecia que ele as estava dizendo com uma longa língua vermelha que saía não da sua boca, mas das suas calças. Fiquei sem ar. Senti prazer e terror ao mesmo tempo. Tentei conter as duas sensações, mas percebi com raiva que a brincadeira não estava dando certo. Era Amalia quem sentia todo o prazer; para mim, sobrava apenas o terror. Quanto mais coisas aconteciam, mais crescia minha irritação porque eu não conseguia ser "eu" no prazer dela, e só tremia.

Além do mais, Caserta também não me parecia convincente. Às vezes, conseguia ser Caserta; outras vezes, perdia suas feições.

Aquilo me deixava cada vez mais alarmada. Estava acontecendo a mesma coisa que acontecia com Antonio nas nossas brincadeiras: eu era Amalia com convicção, ele era seu pai fugazmente, talvez por causa de um defeito da imaginação. Eu o odiava naqueles momentos. Senti-lo como Antonio me transformava mesquinhamente em Delia ali embaixo, no porão, com uma mão no seu sexo; enquanto isso, Amalia brincava de ser realmente Amalia sabe-se lá onde, excluindo-me da sua brincadeira, como acontecia às vezes com as meninas no pátio.

Então, a certa altura, precisei ceder e admitir que o homem que me dizia "Venha" no final dos três degraus do porão era o vendedor de artigos coloniais exóticos, o velho soturno que fabricava sorvetes e doces, o avô do pequeno Antonio, o pai de Caserta. Mas Caserta, não: Caserta estava sem dúvida em outro lugar, com a minha mãe. Então o empurrei e fugi, chorando. Pulei na tábua de madeira no chão onde estava meu pai, o cavalete, o quarto. Contei para ele, no dialeto vulgar do pátio, as obscenidades que aquele homem havia feito e dito para mim. Eu estava chorando. Na minha mente, eu via com clareza o rosto do velho desfigurado pelo rubor e pelo medo.

Caserta, eu disse ao meu pai. Falei o que Caserta havia feito e dito para Amalia, com o consentimento dela, no porão da confeitaria, todas as coisas que, na verdade, o avô de Antonio havia feito e dito para mim. Ele parou de trabalhar e esperou que minha mãe voltasse para casa.

Falar é encadear tempos e espaços perdidos. Sentei-me no último degrau, achando que fosse exatamente o mesmo daqueles tempos. Repeti para mim mesma, sussurrando, uma por uma, as frases obscenas que o pai de Caserta recitou para mim, cada vez mais agitado, quarenta anos antes. E me dei conta de que, na essência, eram as mesmas que minha mãe gritou entre risinhos para mim ao telefone antes de se afogar. Palavras para se perder ou se encontrar. Talvez ela quisesse me dizer que também me detestava pelo que eu havia feito quarenta anos antes. Talvez também quisesse, daquela maneira, me fazer entender quem era o homem que estava ali com ela. Talvez quisesse me dizer para tomar conta de mim mesma, para prestar atenção nas fúrias senis de Caserta. Ou talvez quisesse simplesmente me mostrar que aquelas palavras podiam ser ditas e, ao contrário do que acreditei durante toda a vida, não me fariam mal.

Agarrei-me à última hipótese. Eu estava ali, encolhida no limiar de fantasias atormentadas, para encontrar Caserta e dizer a ele que nunca quis prejudicá-lo. Não me interessava mais a história entre ele e minha mãe, eu só queria confessar em voz alta que, naquela época e depois, eu não o odiei, talvez nem mesmo a meu pai: apenas a Amalia. Porque ela havia me largado no mundo, brincando sozinha com as palavras de uma mentira, sem limite, sem verdade.

25

Mas Caserta não apareceu. No porão, havia apenas caixas de papelão vazias e garrafas velhas de refrigerante ou cerveja. Arrastei-me para fora, empoeirada, incomodada pelo leve toque das teias de aranha, e voltei até a cama. Vi minha calcinha manchada de sangue no chão e a empurrei com a ponta do pé para debaixo da cama. Incomodava-me mais descobri-la naquele lugar como uma parte roubada de mim do que imaginar como Caserta a havia usado.

Voltei à parede onde estava pendurado o conjunto azul-escuro de Amalia. Soltei o cabide, estendi com delicadeza o tailleur em cima da cama, tirei o blazer: o forro estava descosturado, os bolsos, vazios. Encostei-o sobre o corpo quase como se quisesse ver como ficava em mim. Depois me decidi: pus a lanterna na cama, tirei o vestido e o deixei no chão. Então me vesti novamente com atenção, sem pressa. Usei o alfinete de fralda com que Caserta havia prendido o sutiã à blusa para apertar a saia na cintura; era larga demais. O blazer também ficava folgado, mas arrumei-o no corpo com satisfação. Senti que aquela roupa velha era a narrativa final que minha mãe me deixara, e que, naquele instante, com todos os artifícios necessários, me caía como uma luva.

A história podia ser mais fraca ou menos emocionante do que a que eu havia contado a mim mesma. Bastava puxar um fio e segui-lo em sua linearidade simplificadora. Por exemplo, Amalia partiu com seu velho amante e, em sua companhia, tirou as últimas férias secretas, rindo espalhafatosamente, comendo e bebendo, desnudando-se na areia, vestindo e despindo as roupas com as quais planejava me presentear. A brincadeira de uma velha que finge ser jovem para agradar outro velho. No fim, decidiu tomar banho nua. Porém, levemente embriagada, afastou-se demais da costa e se afogou. Caserta ficou com medo, recolheu tudo e foi embora. Ou então, lá estava ela correndo nua ao longo da arrebentação, ele a seguindo, os dois ofegantes, os dois aterrorizados, ela pela descoberta dos desejos dele, ele pela descoberta da repulsa dela. Até que Amalia achou que podia fugir dele em direção à água.

Sim, era só puxar um fio para continuar a brincar com a figura misteriosa da minha mãe, ora enriquecendo-a, ora humilhando-a. Mas percebi que eu não sentia mais a necessidade de fazer aquilo e me mexi no feixe de luz exatamente como eu achava que ela se mexia. Depois de apagar a lanterna, inclinei-me na direção do triângulo azul da porta de ferro e pus a cabeça do lado de fora. As luzes da rua estavam acesas, mas ainda estava claro. As crianças não corriam nem gritavam mais. Estavam em volta de um homem curvado, com o rosto na mesma altura dos rostos delas, as mãos nos joelhos. Era Caserta. A cabeça dele estava coberta pelos cabelos brancos, e a expressão era cativante. Estavam todos ali, os pequenos, o grande, com os sapatos em uma poça cintilante. As crianças começaram a desembrulhar as balas que ele acabara de distribuir.

Olhei aquele velho enxuto, bem-barbeado, bem-vestido, o rosto pálido e liso, e não senti mais necessidade alguma de falar com ele, de saber, de fazer com que ele soubesse. Decidi sair de fininho pela calçada, virar a esquina, mas ele se virou e me viu. O espanto foi tamanho que ele não percebeu o que acontecia às suas costas. O homem de regata havia apoiado com cuidado a barra no muro, acabara de jogar fora o charuto e agora estava se aproximando, olhando fixo para a frente, o tronco ereto, as pernas curtas dando passos razoavelmente tranquilos. As crianças recuaram, afastando-se da poça. Caserta ficou sozinho no espelho d'água roxo, a boca aberta, os olhos ainda fixos em mim. Sua calma me ajudou a respirar. Entrei novamente no "Coloniali" de quarenta anos antes, tomei todo cuidado para não me chocar com o balcão de palmeiras e camelos, subi no estrado de madeira, atravessei a confeitaria esquivando-me habilmente do forno, das máquinas, dos balcões, das formas, saí pela porta que dava no pátio. Uma vez lá fora, procurei o passo certo para uma pessoa adulta que não tem pressa.

26

O gás queimava na noite nos pináculos da refinaria. Viajei em um trem local lento como a agonia, depois de ter procurado e encontrado uma cabine iluminada sem passageiros imersos no sono. Queria que, se não o trem inteiro, pelo menos o meu assento mantivesse sua consistência. Encontrei um lugar junto de uns rapazes de mais ou menos vinte anos, recrutas voltando de uma breve licença. Em um dialeto quase incompreensível, exibiam a cada frase uma agressividade assustada. Haviam perdido o trem que os teria deixado com pontualidade no quartel. Sabiam que seriam punidos e estavam com medo. Mas não confessavam. Em vez disso, planejavam, com gritos e risadas, submeter os oficiais que os puniriam a humilhações sexuais de todo tipo. Eles as colocavam em um futuro indeterminado e, enquanto isso, descreviam-nas exaustivamente. Declaravam, dirigindo-se a mim, mas de esguelha, que não tinham medo de ninguém. Lançavam-me olhares cada vez mais despudorados. Um deles começou a falar comigo diretamente e a me oferecer cerveja da latinha que estava bebendo. Tomei. Os outros davam risinhos sem conseguir se conter, amontoando-se uns sobre os outros com os corpos contraídos pelo riso reprimido e, depois, empurrando-se com força, com os rostos avermelhados.

Separei-me deles em Minturno. Caminhei por ruas desertas, entre sobrados simples e vazios, até a Via Appia. Ainda estava escuro quando consegui encontrar a casa das nossas férias de verão, uma construção de dois andares com um telhado muito inclinado, trancada e silenciosa sob o orvalho. Ao raiar do dia, segui por uma vereda arenosa. Só havia besouros e lagartixas imóveis, esperando que começasse a esquentar. As folhas dos juncos, com os quais fabriquei para mim e para minhas irmãs esqueletos de pipas, molhavam o tailleur quando eu esbarrava nelas.

Tirei os sapatos e afundei os pés doloridos em uma areia fina, fria e suja, em meio a todo tipo de lixo. Fui me sentar em um tronco perto da água, esperando que o sol me esquentasse, mas também para ancorar minha presença a algum objeto bem enraizado na areia. O mar estava calmo e azul sob o sol, mas os raios mal chegavam à arrebentação, deixando uma sombra cinza na areia. Uma leve neblina prestes a desaparecer ainda conseguia cobrir o mato, as colinas, as montanhas. Eu já voltara àquele lugar depois da morte da minha mãe. Não vi nem o mar nem a praia. Vi apenas detalhes: a superfície branca de uma concha, rigorosamente estriada; um caranguejo com segmentos do abdome virados para o sol; o plástico verde de um recipiente de detergente; aquele tronco no qual eu estava sentada. Perguntei a mim mesma por que minha mãe havia decidido morrer naquele lugar. Eu nunca saberia. Era a única fonte possível da narrativa, não podia nem queria procurar fora de mim.

Quando o sol começou a me tocar, senti Amalia jovem e cheia de espanto pela aparição dos primeiros biquínis. Dizia: "As duas peças cabem em uma só mão." Ela, porém, usava um maiô verde costurado por ela mesma, fechado, robusto, adequado para sufocar as formas, sempre o mesmo ao longo dos anos. Por prudência, verificava frequentemente se o tecido não tinha enrolado nas coxas e nas nádegas. Aos domingos, aparentemente por escolha própria, ficava enrolada em uma toalha, como se estivesse com frio, na espreguiçadeira embaixo do guarda-sol, ao lado do meu pai. Mas não sentia frio. Nos fins de semana, chegavam à praia, vindas do interior, comitivas de rapazes de cabelos crespos com roupas de banho indecentes, com o rosto, o pescoço e os braços queimados de sol, o resto do corpo branco, eram espalhafatosos, briguentos, empenhados, ora de brincadeira, ora de verdade, em lutas furiosas na areia ou na água. Meu pai, que geralmente passava o tempo na beira da água comendo mexilhões pescados na areia, mudava de humor e de comportamento ao vê-los. Mandava Amalia não se afastar do guarda-sol. Ficava à espreita para saber se ela os estava olhando de esguelha. Quando os rapazes, durante suas exibições, sujos de areia até os cabelos, aproximavam-se demais do guarda-sol, rindo, ele nos alcançava depressa e nos obrigava, as quatro, a ficar ao seu lado. Enquanto isso, declarava guerra aos jovens com olhares ferozes. Nós, como sempre, ficávamos com medo.

No entanto, daquelas férias, o que eu me lembrava com mais incômodo era do cinema ao ar livre, ao qual íamos com frequência. Meu pai, para nos proteger de eventuais importunadores, fazia a menor das minhas irmãs se sentar na primeira cadeira da fila, a que dava para o corredor. Depois mandava a outra se sentar ao lado dela, seguida de mim, da minha mãe e, finalmente, dele. Amalia assumia um ar entre divertido e admirado. Já eu interpretava aquela disposição dos lugares como um sinal de perigo e ficava cada vez mais inquieta. Quando meu pai se acomodava em seu lugar e punha um braço ao redor dos ombros da esposa, aquele gesto me parecia a última fortificação contra uma ameaça obscura que logo se revelaria.

O filme começava, mas eu sentia que ele não estava tranquilo. Assistia à película nervosamente. Se Amalia por acaso se virava para trás, ele logo fazia o mesmo. Perguntava a ela a intervalos fixos: "O que foi?" Ela o tranquilizava, mas meu pai não confiava nela. Eu era influenciada por aquela ansiedade. Pensava que, se alguma coisa acontecesse comigo — a coisa mais terrível, eu não sabia qual —, eu não falaria nada para ele. Deduzia, sei lá por que razão, que Amalia teria se comportado da mesma maneira. Mas essa consciência me dava ainda mais medo. Porque, se meu pai descobrisse que ela havia escondido a tentativa de abordagem de sabe-se lá qual estranho, teria imediatamente a prova de todas as outras inúmeras cumplicidades de Amalia.

Eu já tinha aquelas provas. Quando íamos ao cinema sem ele, minha mãe não respeitava nenhuma das regras impostas por meu pai: olhava livremente à sua volta, ria como não deveria rir e batia papo com desconhecidos, como o baleiro, que se sentava ao lado dela quando as luzes se apagavam e o céu estrelado surgia. Por isso, quando meu pai não estava presente, eu não conseguia acompanhar a história do filme. Lançava olhares furtivos no escuro para exercer, por minha vez, certo controle sobre Amalia, antecipar a descoberta dos seus segredos, evitar que ele também descobrisse sua culpabilidade. Entre a fumaça dos cigarros e o piscar do feixe de luz que jorrava do projetor, eu fantasiava, aterrorizada, corpos de homens em forma de sapo que saltavam, ágeis, embaixo das cadeiras estendendo não patas, mas mãos e línguas pegajosas. E assim eu ficava banhada por um suor gelado, apesar do calor.

Mas, na presença do marido, Amalia, após um olhar furtivo para o lado, intrigado e ao mesmo tempo apreensivo, abandonava a cabeça sobre o ombro do meu pai e parecia feliz. Aquele duplo movimento me dilacerava. Eu não sabia onde seguir minha mãe em fuga, se ao longo do eixo daquele olhar ou pela parábola que seu penteado desenhava em direção ao ombro do marido. Eu ficava ali ao seu lado e tremia. Até as estrelas, tão numerosas no verão, pareciam vislumbres da minha desorientação. Eu estava tão decidida a me tornar diferente dela que perdia uma a uma as razões para me parecer com ela.

O sol começou a me aquecer. Remexi na bolsa e peguei minha carteira de identidade. Observei a foto por bastante tempo, tentando reconhecer Amalia naquela imagem. Era uma foto recente, tirada especialmente para renovar o documento vencido. Com uma caneta, enquanto o sol queimava meu pescoço, desenhei em volta das minhas feições o penteado da minha mãe. Alonguei meus cabelos curtos a partir das orelhas, criando duas faixas amplas que se fechavam em uma onda negríssima sobre a testa. Esbocei um cacho rebelde sobre o olho direito, contido com dificuldade entre a linha dos cabelos e a sobrancelha. Olhei-me, sorri para mim mesma. Aquele penteado antiquado, em uso nos anos quarenta, mas já raro no final dos anos cinquenta, ficava bem em mim. Amalia existira. Eu era Amalia.

- intrinseca.com.br
- @intrinseca
- editoraintrinseca
- @intrinseca
- @editoraintrinseca
- intrinsecaeditora

1ª edição	MARÇO DE 2017
reimpressão	OUTUBRO DE 2024
impressão	LIS
papel de miolo	POLÉN NATURAL 80 G/M²
papel de capa	CARTÃO SUPREMO ALTA ALVURA 250 G/M²
tipografia	ELECTRA